COLLECTION FOLIO

Albert Camus

Journaux de voyage

TEXTE ÉTABLI,
PRÉSENTÉ ET ANNOTÉ
PAR ROGER QUILLIOT

Gallimard

INTRODUCTION

Quand, en 1964, nous avons publié le second tome des Carnets *d'Albert Camus, se sont posés à nous deux problèmes, l'un de principe, l'autre technique.*

Le cahier consacré à l'Amérique du Sud n'était pas classé avec les autres ; le manuscrit en était également distinct[1]*. Il portait en titre :* Voyage en Amérique du Sud. *Il était clair que l'auteur s'était interrogé sur sa destination. Au reste, quand, en 1954, il m'avait communiqué la dactylographie de l'ensemble de ces* Carnets, *ce voyage en Amérique du Sud figurait dans un dossier particulier.*

Au demeurant, une étude sommaire en apporte la preuve : il s'agit bien d'une relation de voyage d'où se trouve bannie toute réflexion qui lui soit étrangère. Camus avait-il envisagé de lui donner plus d'ampleur, d'en tirer un plus vaste récit ? Rien ne nous le prouve. Mais tout indique que ce voyage et sa relation tenaient une place à part dans son esprit.

1. Il est annoncé sur le cahier VI manuscrit par l'indication « voir journal Am. du Sud juin à août 1949 ».

Sous quelle forme pouvions-nous, dès lors, procéder à sa publication, le cahier étant trop mince pour constituer un volume ?

Très logiquement, nous songeâmes à l'associer au voyage en Amérique du Nord, intégré, lui, dans la suite chronologique des cahiers[1]*. Intégration fort explicable si l'on considère qu'en dehors de quelques notations touristiques, qui touchent à la traversée de l'Atlantique et à la découverte de New York, Camus y parle assez peu de ses rencontres et des aventures qui émaillèrent son voyage ; peu de choses encore sur les conférences qu'il fit à New York et à Harvard et les réactions qu'elles suscitèrent. Par contre, les préoccupations qui parsèment les cahiers des années 1945 et 1946, s'y retrouvent présentes, notamment* La Peste.

Malgré ces différences de texture, nous décidâmes donc de regrouper ces deux cahiers. Le texte fut établi par Madame Camus et moi-même, en lecture commune, par comparaison des diverses dactylographies et des manuscrits, l'un appartenant, comme tous les cahiers intégrés dans un même ensemble, à Madame Camus — le cahier du Voyage aux U.S.A. —, l'autre à Madame Maria Casarès qui voulut bien nous le confier pour examen.

Pour éviter toute supputation inutile, précisons une fois encore que ces textes sont publiés, comme

1. Ces pages figuraient en manuscrit au cahier V, cahier d'écolier comme les précédents, et le texte enchaîne sur la page commencée avant le départ. Dans les deux dactylographies la numérotation des pages ne marque aucune discontinuité. Incontestablement, les notes ont été prises au fil de la plume et n'ont pas été retouchées.

les précédents, sans la moindre coupure. Les initiales, quand elles existent, ont été choisies par l'auteur. Une exception pourtant : à deux reprises, nous avons remplacé le nom d'une même personne par un X.

*

Les deux cahiers ont un intérêt commun : ils nous montrent comment Camus passait des notations brutes à l'œuvre élaborée. Quelques passages du Voyage aux U.S.A. se retrouvent dans Les Pluies de New York ; *d'importants fragments du Voyage en Amérique du Sud ont été repris soit dans* La Mer au plus près [L'Été], *soit plus largement encore dans* La Pierre qui pousse : *deux scènes de danse, réellement vues, sont condensées dans un des rares textes exotiques que Camus ait rédigés ; le voyage à Iguape et l'épisode de la pierre qui pousse, enregistrés comme du simple folklore, prennent, dans la nouvelle, valeur de symbole. Quoi qu'on pense de la nouvelle, on a peu d'exemples aussi nets de la transformation que subit le fait brut avant d'accéder au niveau du mythe — et d'un mythe volontairement optimiste, tiré d'un voyage harassant et déprimant pour l'auteur.*

Les circonstances de l'un et l'autre voyage influent sur les réactions de Camus : le voyage aux U.S.A., commencé le 10 mars 1946, est tout autant celui d'un journaliste de renom, que d'un auteur qui n'a pas atteint encore la pleine consécration. D'où l'accueil méfiant des services de police américains qui ont l'œil — et le noir — sur l'animateur d'un journal qui arbore fièrement la devise : De la Résistance à la Révolution. *L'étonnant est que Camus ne nous dise rien des universités américaines, qui ont tout pour étonner le voyageur français, et de la plus prestigieuse, Harvard, qui a pourtant gardé trace de son passage dans son bulletin mensuel. On devine, au travers des quelques notes enregistrées, une sorte d'effarement, tantôt admiratif et tantôt réprobateur, devant ce Nouveau Monde démesuré dans ses gratte-ciel comme dans ses étendues ; et une vague inquiétude devant ce que cette puissance colossale implique d'expansionnisme inconscient. Le temps n'est pas loin où, entre les deux blocs hostiles qui se constituent à l'Est et à l'Ouest — et dont les U.S.A. sont l'un des piliers —, Camus se refusera obstinément à choisir. Reste que, sur l'instant, il confia à son ancien instituteur M. Germain : « Mon voyage en Amérique m'a appris beaucoup de choses qu'il serait trop long de détailler ici. C'est un grand pays, fort et discipliné dans la liberté, mais qui ignore beaucoup de choses et d'abord l'Europe. »*

Le Voyage en Amérique du Sud est d'autre nature : Camus l'aborde dans une forme précaire : mais ce n'est que progressivement qu'il soupçonne un nouvel accès de phtisie. En ce sens, son itinéraire est aussi celui de la maladie redécouverte, dont La Mer au plus près *portera la marque. Il ne s'éloigne pas de ceux qui lui sont chers sans déchirement, d'où la nervosité avec laquelle il accueille les retards de courrier. Enfin, c'est son premier voyage officiel, en vedette : on ne l'y reprendra plus (en fait, il donnera plus tard des conférences en Italie et en Grèce) ; s'il lui arrive de s'amuser, le plus souvent il est agacé par les multiples contraintes inhérentes à ce genre de périple : rencontres variées et souvent décevantes, qualité fort inégale des hôtes et des réceptions ; tout est fait pour irriter un homme qui déteste les mondanités et sait pourtant qu'en acceptant ce voyage il en a accepté les sujétions. Aussi le verra-t-on se soumettre par volonté, mais au fond de mauvais gré, à un programme excessivement chargé et d'intérêt divers.*

Au total, ces pages portent la marque d'un état de crise que la lecture de Vigny ne fait que confirmer dès le bateau : crise physique, que Camus mettra de longs mois à surmonter ; crise sentimentale et morale qui se traduit par l'obsession du suicide comme par un sentiment aigu d'exil ; c'est par où encore La Pierre qui pousse *tire sa sève de ce voyage.*

Aussi se montre-t-il particulièrement sensible aux contrastes violents qu'offrent à l'Européen ces terres américaines : richesses opposées à l'extrême pauvreté ; culture raffinée et barbare, parfois chez les mêmes êtres. Sans compter cet énorme problème que pose à tout observateur lucide la surpopulation de ces terres, singulièrement dans les grandes cités ! Camus découvre, non sans malaise, ce qu'on commençait à peine à appeler le Tiers Monde. Et sans doute souffre-t-il de ne l'apercevoir que dans un tourbillon où les vols aériens le disputent aux mondanités.

*

Deux voyages à deux ans de distance. Dans les douze années qui suivront, Camus consentira rare-

ment à donner des conférences à l'étranger : il refusera un « pont d'or » pour le Japon. Par obligation, il se résignera aux festivités du prix Nobel à Stockholm. Encore y fallut-il l'insistance de Roger Martin du Gard et de ses éditeurs.

Paradoxalement, alors que le jeune homme sans grandes ressources avait librement parcouru l'Europe, l'écrivain en pleine notoriété, après 1948, fuira les voyages qui peuplent généralement l'existence de ses pairs.

R. QUILLIOT

ÉTATS-UNIS

Mars à mai 1946

Amérique. Départ. La légère angoisse propre à tout départ est passée. Dans le train, je retrouve R., psychiatre qui va là-bas prendre des contacts. Je sais qu'il sera dans ma cabine sur le bateau et ça ne m'est pas désagréable parce que je le trouve fin et sympathique. Dans mon compartiment, trois gosses assez turbulents au départ, mais qui s'assoupiront, leur petite bonne, leur mère, grande et élégante femme aux yeux clairs et un petit bout de femme blonde, qui pleure en face de moi. Voyage sans histoire, sauf une. Je rends quelques services à la jeune femme blonde. Avant Rouen, une sorte de grande femme vêtue d'une longue fourrure de bête et aux traits épatés m'interroge pour savoir si tous les gens de ce wagon vont en Amérique. Si j'y vais. « Oui. » Elle s'excuse et me demande si elle peut me demander ce que je vais y faire. « Des conférences. » « Littéraires ou scientifiques ? — Littéraires. » Elle pousse un vrai cri de théâtre avec la main portée rapidement à la bouche. « Ah ! dit-elle, comme c'est merveilleux. » Et deux secondes après, les yeux baissés : « Moi aussi, je suis dans la littérature. — Ah ! » dis-je. « Oui, je vais publier un livre de poèmes. — Très bien, dis-je. — Oui, j'ai obtenu une préface de Rosemonde Gérard. Elle m'a fait un très beau sonnet. — Bravo. — Ah ! bien sûr, c'est mon premier livre. Mais débuter dans la littérature avec une préface de Rosemonde Gérard… — Chez quel éditeur ? » Elle me donne un nom que je ne connais pas. Elle m'explique que ce sont des vers réguliers « parce que je suis plutôt dans le genre classique. Le moderne, moi, je ne sais pas ce que vous en pensez… mais je n'aime pas ce que je ne comprends pas », etc., etc. Elle descend à Rouen et me propose de poster un télégramme que je veux envoyer à Paris parce que j'ai oublié l'adresse de R. à New York. Elle ne l'a pas posté puisque je n'ai pas reçu de réponse.

Au wagon-restaurant, je retrouve R. et nous déjeunons en face du petit bout blond qui n'arrive pas à casser ses noix. Au Havre, le petit bout de femme qui a l'air complètement perdu réclame mon assistance. En attendant le car nous parlons un peu. Elle va à Philadelphie. Le car est une ancienne voiture cellulaire, sale et poussiéreuse. Le Havre, avec d'immenses chantiers de gravats. L'air est mou. Quand nous arrivons devant l'*Oregon* je m'aperçois que c'est un cargo, un grand cargo, mais un cargo. Douane, change, commissariat avec la petite boîte de fiches qu'un flic consulte pendant qu'on dit votre nom — et que je connais bien à cause de quelques sueurs fugitives qu'elle m'a données pendant l'occupation. Et puis à bord.

La cabine à quatre avec salle de douches et W.-C. est devenue une cabine à cinq où il est impossible d'éternuer sans renverser quelque chose. On nous demande de passer à la salle à manger pour voir le maître d'hôtel. En réalité c'est pour assister à une scène de comédie. Le maître d'hôtel ressemble aux Français tels qu'on les voit dans les films américains et, de plus, se trouve affligé de tics qui lui font distribuer de nombreuses œillades à droite et à gauche. Il s'applique à composer des tables harmonieuses et dispose à cet effet, comme les bonnes maîtresses de maison, d'un plan et du titre de quelques-uns des passagers qui sont spécialement recommandés. Naturellement il veut me mettre avec un journaliste[1] qui se trouve à bord. Mais je refuse énergiquement et finalement je me retrouve avec R. et le petit bout blond qui s'appelle, ô merveille, Jeanne Lorette. C'est une petite Parisienne qui travaille dans les parfums, qui pleurait ce matin parce qu'elle avait quitté sa sœur jumelle et que sa sœur, c'est tout pour elle, mais elle va rejoindre à Philadelphie un Américain avec lequel elle doit se marier. R. est ravi par le naturel, la sagesse et la gentillesse de cette Lorette. Moi aussi. Nous sommes un peu moins ravis par la cabine. Le lit supplémentaire, au milieu, est occupé par un vieillard de 70 ans. La couchette au-dessus de la mienne est à un type d'âge moyen dont je présume qu'il est dans les affaires. Au-dessus de R. se trouve un vice-consul qui se rend à Shangaï et qui a la mine ouverte et bruyante. On s'installe et je décide de me mettre au travail.

Au dîner, je retrouve R., Lorette, la grande femme du compartiment (elle n'est pas si grande — mais mince et élégante) et un couple de Mexicains « qui sont dans les affaires ». Les deux femmes semblent considérer notre Lorette avec un peu de méfiance. Mais comme elle se contente d'être naturelle, c'est elle qui garde le plus de classe. Elle nous raconte que sa belle-mère qui ne la connaît pas lui envoie les plus gentilles lettres et que les belles-mères semblent être en Amérique d'une qualité tout à fait supérieure. Son fiancé est très croyant, il ne boit ni ne fume. Il lui a demandé de se confesser avant de partir. Le matin du départ (les jours d'avant, elle avait fait des démarches), elle s'est levée à six heures pour aller à l'église mais elle était fermée et le train partait tôt. Elle se confessera donc là-bas et, dit-elle avec sa légère accentuation parisienne (pour le reste, elle articule très mal et très vite et il faut pencher la tête pour saisir ce qu'elle dit) « J'aime mieux ça parce que celui de là-bas ne comprendra pas bien ce que je lui dirai et comme ça il me donnera l'absolution. » Nous lui expliquons qu'on donne toujours l'absolution dans ces cas-là. « Même pour les mortels. » Mais oui, dit R. convaincu. Et nous lui signalons qu'il y a sans doute un aumônier sur le bateau.

Après dîner, R. et moi tombons d'accord sur le fait que cette charmante Lorette essaie de calmer son appréhension en présentant aux autres et par conséquent à elle-même une image réconfortante de la situation — qui d'ailleurs est peut-être réconfortante, mais ce n'est pas la question. En tout cas, nous sommes encore d'accord pour souhaiter tout le bonheur qu'elle mérite à ce drôle de petit animal. Le coucher est plus laborieux. Cela fait vraiment chambrée. Il y a deux ronfleurs, le vieux et l'homme d'affaires. De plus R. et moi avions ouvert le hublot mais le vieillard le ferme en pleine nuit. J'ai l'impression de respirer la respiration des autres et la furieuse envie d'aller me coucher sur le pont. Seule l'idée du froid m'en empêche. Réveil à 7 heures 30 parce qu'on ne peut pas déjeuner après 8 heures 30. Travail le matin. À midi 15 déjeuner. Le Mexicain m'apprend qu'il représente à Mexico des maisons de parfum françaises et me fait l'éloge de la qualité française. Les beaux yeux clairs qui sont en face de moi perdent un peu de leur fierté et on s'aperçoit qu'il y avait beaucoup de timidité dans son cas. Lorette nous assure qu'elle ne permettra jamais qu'on dise du mal de la France dans sa famille. Elle nous trace des Anversois un portrait remarquable de jugement. (S'ils achètent un bijou à leur femme, c'est un diamant brut, jamais une bague travaillée. Comme ça, ils ont du capital. Et des manteaux de fourrure. Des valeurs sûres, quoi.)

L'après-midi nous parlons avec le vice-consul. J'apprends sans grande surprise qu'il est oranais. Et naturellement nous nous donnons de grandes tapes sur l'épaule. Il est allé dans les pays les plus invraisemblables, dont la Bolivie dont il me parle très bien. La Paz est à 4 000 mètres d'altitude. Les autos y perdent 40 % de leur puissance, les balles de tennis arrivent à peine et les chevaux ne sautent que de courts obstacles. Il a tenu en mangeant de l'ail. Sa femme, une Polonaise d'esprit fin raconte à R. des histoires de magie. 15 heures. Départ. La mer est belle. Une femme de marin, en grand deuil, court maladroitement le long de la jetée accompagnant le bateau avec des gestes d'adieux. La dernière image de la France est celle d'immeubles détruits, tout au bord de cette terre blessée.

Au travail. À dîner, le Mexicain raconte des histoires de douane. Une seule intéressante : celle de l'Américain amputé à Mexico à la suite d'un accident et qui a voulu ramener sa jambe défunte dans une boîte de cristal. Trois jours de discussion pour savoir si cet objet ne rentrait pas dans la catégorie visée par une instruction concernant la défense contre les épidémies. Mais l'Américain ayant déclaré qu'il ne se séparerait pas de sa jambe et resterait plutôt au Mexique, les États-Unis n'ont pas voulu renoncer à un honorable citoyen. La Lorette tousse beaucoup et a peur du mal de mer. R. veut l'en guérir par une méthode d'autosuggestion. Et il le fait très adroitement. Après dîner, je prends un verre avec Mme D., la grande femme aux yeux clairs. Mari à l'ambassade de Washington.

Mardi 10 heures. La nuit a été bonne quoique courte. Ce matin il pleut et la mer grossit. Le bar est presque vide. Je travaille en paix. L'Atlantique a une couleur aile de pigeon. Je m'étends avant le déjeuner, le cœur un peu barbouillé et je m'endors pour me réveiller au bout d'une demi-heure, frais comme un gardon. Au déjeuner, des abstentions. Notre Lorette ne quittera pas sa couchette de la journée. Les Mexicains quittent la table avant la fin. Mme D., R. et moi bavardons amicalement. Mais R. va se coucher, un peu incommodé. Quoiqu'en bonne forme, j'en fais autant. J'ai la tête trop molle pour travailler. Mais je lis *La Guerre et la Paix*. Comme j'aurais été amoureux de Natacha !

La journée s'est traînée ensuite, lourde et monotone. Après dîner, le X des fourrures me parle de la sagesse orientale. C'est le genre de conversation dont je n'ai jamais pu supporter plus de cinq minutes. Je vais au lit retrouver Natacha Rostov.

Mercredi. Lever avec fièvre et vague angine. Mais un beau soleil malgré la mauvaise mer. Je passe la matinée étendu au soleil. L'après-midi, anglais avec R. sur le pont et cocktail chez le commandant avec Mme D. Après dîner, R. raconte ses souvenirs de médecin. Dachau. La pile des moribonds dont la diarrhée coule des uns sur les autres.

Jeudi. Sale journée avec le froid de la grippe. Un peu de champagne le soir avec R. et Mme D. me ranime. Mais la tête est vide. Anglais tout de même l'après-midi.

Vendredi. La grippe se tasse. Mais la vie est aussi monotone. Je travaille un peu le matin. La mer toujours forte. L'après-midi nous recevons avec le consul (Dahoui) Mme D. et L. dans notre cabine. Agréable bavardage. Le consul raconte (avec l'éloquence algérienne) l'histoire du petit vice-consul d'Andrinople qui n'arrivait pas à aller rendre sa première visite au consul parce que quatre orangs-outangs se trouvaient attachés dans l'antichambre du consulat. Il s'y décide enfin mais passe des journées de peur dans ce consulat. Finalement le consul lui ayant annoncé qu'un de ces animaux était mort de l'absorption d'une boîte d'allumettes, il apporte chaque jour une boîte qu'il donne affectueusement à l'un des animaux jusqu'à ce que mort s'ensuive. Quand toutes les bêtes sont en terre, il respire.

Histoire classique aussi des consuls de 30 ans à Djeddah[2] et ailleurs qui s'alcoolisent et meurent dans la solitude (pour moi).

Le soir après dîner comme nous devons passer au large des Açores, je vais sur le pont et, dans un coin abrité du grand vent qui souffle depuis le départ, je peux jouir d'une nuit pure, avec de rares mais très grosses étoiles qui filent au-dessus du navire du même mouvement rectiligne. Une lune menue met dans le ciel une lumière sans éclat qui éclaire l'eau turbulente d'un reflet égal. Une fois de plus je regarde, comme je le fais depuis des années, les dessins que l'écume et le sillage font sur la surface des eaux, cette dentelle faite et défaite, ce marbre liquide... et une fois de plus je cherche là comparaison exacte qui fixera un peu pour moi cette merveilleuse éclosion de mer, d'eau et de lumière qui m'échappe depuis si longtemps. Encore en vain. Pour moi, c'est un symbole qui continue.

Vendredi. Samedi. Dimanche. Même programme. La mer toujours trop forte, nous descendons vers le Sud et dépassons les Açores. Cette société en miniature est à la fois passionnante et monotone. Tous se piquent d'élégance et de savoir-vivre. Le côté chien savant. Mais quelques-uns s'ouvrent. Le fourreur X est sur le bateau. Nous apprenons ainsi qu'il a un magnifique service de porcelaine, une superbe argenterie, etc., mais qu'il se sert de copies qu'il en a fait faire, gardant enfermés les originaux. À ce qu'il m'a semblé, il a aussi une copie de femme avec qui il n'a jamais dû faire qu'une copie d'amour.

Trois ou quatre passagers vont visiblement aux U.S.A. pour de l'exportation de capitaux. Je me laisse même expliquer la combinaison fort astucieuse en soi. « Remarquez, dit l'un, que je ne fais rien contre l'État. Ses intentions sont bonnes, mais il ne connaît rien aux affaires. » Eux, les connaissent, les affaires. Nous tombons d'accord avec R., toujours charmant compagnon, pour dire que le seul problème contemporain est celui de l'argent. Sales gueules pourries par la cupidité et l'impuissance. Il y a heureusement la compagnie des femmes. C'est la vérité et la terre. Mme D. de plus en plus charmante. L. aussi.

Lundi. Magnifique journée. Le vent est tombé. Pour la première fois, la mer est calme. Les passagers remontent sur le pont comme des champignons après la pluie. On respire d'aise. Le soir magnifique coup de soleil. Après dîner, clair de lune sur la mer. Mme D. et moi sommes d'accord pour penser que la plupart des gens ne mènent pas la vie qu'ils aimeraient mener et qu'il y a là de la lâcheté.

Dimanche. On annonce que nous arriverons le soir. La semaine s'est passée de façon vertigineuse. Le soir du mardi 21, notre table décide de fêter le printemps. Alcool jusqu'à 4 heures du matin. Le lendemain aussi. Quarante-huit heures d'euphorie agréable, où toutes les relations se précipitent. Mme D. est en pleine révolte contre son milieu. L. m'avoue qu'elle va faire un mariage de raison. Le samedi nous avons quitté le Gulf-Stream et la température rafraîchit terriblement. Le temps passe très vite cependant et finalement je ne suis pas si pressé d'arriver. J'ai terminé ma conférence. Et le reste du temps, je regarde la mer et je bavarde, surtout avec R., vraiment intelligent — et naturellement Mme D. et L.

À 12 heures aujourd'hui, on aperçoit la terre. Depuis le matin, des mouettes survolaient le bateau et semblaient suspendues, immobiles, au-dessus des ponts. Coney Island qui ressemble à la porte d'Orléans nous apparaît d'abord. « C'est Saint-Denis ou Gennevilliers », dit L. C'est tout à fait vrai. Dans le froid, avec le vent gris et le ciel plat, tout cela est assez cafardeux. Nous ancrons dans la baie d'Hudson et ne débarquerons que demain matin. Au loin, les gratte-ciel de Manhattan sur un fond de brume. J'ai le cœur tranquille et sec que je me sens devant les spectacles qui ne me touchent pas.

Lundi. Coucher très tard la veille. Lever très tôt. Nous remontons le port de New York. Spectacle formidable malgré ou à cause de la brume. L'ordre, la puissance, la force économique est là. Le cœur tremble devant tant d'admirable inhumanité.

Je ne débarque qu'à 11 heures après de longues formalités où seul de tous les passagers je suis traité en suspect. L'officier d'immigration finit par s'excuser de m'avoir tant retenu[3]. « J'y étais obligé, mais je ne puis vous dire pourquoi. » Mystère, mais après cinq ans d'occupation !

Accueilli par C., E. et un envoyé du consulat. C. inchangé. E. non plus. Mais dans toute cette foire, les adieux avec L., Mme D. et R. sont rapides et froids.

Fatigué. Ma grippe revient. Et c'est les jambes flageolantes que je reçois le premier coup de New York. Au premier regard, hideuse ville inhumaine. Mais je sais qu'on change d'avis. Ce sont des détails qui me frappent : que les ramasseurs d'ordures portent des gants, que la circulation est disciplinée, sans intervention d'agents aux carrefours, etc., que personne n'a jamais de monnaie dans ce pays et que tout le monde a l'air de sortir d'un film de série. Le soir, traversant Broadway en taxi, fatigué et fiévreux, je suis littéralement abasourdi par la foire lumineuse. Je sors de cinq ans de nuit et cette orgie de lumières violentes me donne pour la première fois l'impression d'un nouveau continent (une énorme enseigne de 15 m pour les Camel : un G.I. bouche grande ouverte laisse échapper d'énormes bouffées de *vraie* fumée. Le tout est jaune et rouge). Je me couche malade du cœur autant que du corps, mais sachant parfaitement que j'aurai changé d'avis dans deux jours.

Mardi. Lever avec fièvre. Incapable de sortir avant midi. Quand E. arrive, un peu mieux, je vais déjeuner avec lui et D. un publiciste d'origine hongroise dans un restaurant français. Je remarque que je n'ai pas remarqué les *sky-scrapers*, ils m'ont paru naturels. C'est une question de proportions générales. Et puis aussi on ne peut pas toujours vivre la tête levée. On n'a donc dans le champ de sa vue qu'une proportion raisonnable d'étages. Magnifiques boutiques d'alimentation. De quoi faire crever toute l'Europe. J'admire les femmes dans les rues, les coloris des robes, ceux des taxis qui ont tous l'air d'insectes endimanchés, rouges, jaunes, verts. Quant aux magasins de cravates, il faut les voir pour les croire. Tant de mauvais goût paraît à peine imaginable. D. m'affirme que les Américains n'aiment pas les idées. C'est ce qu'on dit. Je m'en méfie.

À 3 heures, je vais voir Régine Junier. Admirable vieille fille qui m'envoie toutes ses richesses parce que son père est mort poitrinaire à 27 ans et qu'alors... Elle vit dans deux pièces au milieu d'une foule de chapeaux qu'elle fabrique et qui sont exceptionnellement laids. Mais rien ne remplace ce cœur généreux et attentif qu'elle montre dans chacune de ses paroles. Je la quitte, dévoré de fièvre et incapable d'autre chose que d'aller me coucher. Tant pis pour les rendez-vous. — Odeur de New York — un parfum de fer et de ciment — le fer domine.

Le soir dîner avec L. M. au « Rubens ». Il me raconte l'histoire de sa secrétaire, très « American Tragedy ». Mariée à un homme dont elle a deux enfants, sa mère et elle découvrent sur le tard que le mari est pédéraste. Séparation. La mère, protestante puritaine, cuisine la fille pendant des mois en lui inculquant l'idée que ses enfants seront dégénérés. L'idiote finit par en étouffer un et étrangle l'autre. Déclarée irresponsable, on la libère. L. M. me fait sa théorie personnelle sur les Américains. C'est la quinzième que j'entends.

Au coin de la 1re Rue Est, petit bistro où un phonographe mécanique vociférant couvre toutes les conversations. Pour obtenir cinq minutes de silence, il faut mettre cinq cents.

Mercredi. Un peu mieux ce matin. Visite de Liebling, du *New Yorker*, homme charmant. Chiaromonte[4] puis Rubé. Les deux derniers et moi déjeunons dans un restaurant français. Ch. parle de l'Amérique comme personne, à mon avis. Je lui fais remarquer les *Funeral Home*. Il m'en raconte le fonctionnement. Une des façons de connaître un pays, c'est de savoir comment on y meurt. Ici, tout est prévu. « *You die and we do the rest* », disent les affiches publicitaires. Les cimetières sont des propriétés privées : « Dépêchez-vous de retenir votre place. » Tout se passe dans le magasin, transport, cérémonies, etc. Un homme mort est un homme fini. — Chez Gilson, radio. Puis chez moi avec Vercors, Thimerais et O'Brien[5]. Conférence de demain. À 6 heures, un verre avec Gral au *Saint-Regis*. Je reviens par Broadway à pied, perdu dans la foule et les énormes enseignes lumineuses. Oui, il y a un tragique américain. C'est celui qui m'oppresse depuis que je suis ici mais je ne sais pas encore de quoi il est fait.

À Bowery Street, la rue des boutiques des mariés pendant 500 mètres. Je dîne seul dans le restaurant de midi. Et je rentre écrire.

Question nègre. Nous avons envoyé un Martiniquais en mission ici. On l'a logé à Harlem. Vis-à-vis de ses collègues français, il aperçoit pour la première fois qu'il n'est pas de la même race.

Observation contraire : dans le bus, un Américain moyen se lève devant moi pour céder sa place à une vieille dame nègre.

Impression de richesse versée à flots. L'inflation est là, me dit un Américain.

Jeudi. La journée passée à dicter ma conférence. Le soir un peu de trac, mais j'y vais tout de suite et le public a « collé ». Mais pendant que je parle on barbote la caisse dont le produit est destiné aux enfants français. O'Brien annonce la chose à la fin et un spectateur se lève pour proposer que chacun redonne à la sortie la même somme qu'il a donnée à l'entrée. À la sortie, tout le monde donne beaucoup plus et la recette est considérable. Typique de la générosité américaine. Leur hospitalité, leur cordialité est du même goût, immédiate et sans apprêt. Ce qu'il y a de meilleur en eux.

Leur goût pour les animaux. Magasin d'animaux de plusieurs étages : au premier les canaris et au dernier les grands singes. On a arrêté 5e Avenue, il y a quelques années, un monsieur qui promenait une girafe dans un camion. Il a expliqué que sa girafe manquait d'air dans la banlieue où il la gardait et qu'il avait trouvé ce moyen pour l'aérer. Dans Central Park, une dame fait brouter une gazelle. Devant le tribunal des pénalités, elle explique que cette gazelle est une personne. « Elle ne parle pourtant pas », dit le juge. « Si, le langage de la bonté. » Cinq dollars d'amende. À côté de ça, un tunnel sous l'Hudson de 3 kilomètres et le formidable viaduc de New Jersey.

Après la conférence un verre avec Schiffrin[6], Dolorès Vanetti qui parle l'argot le plus pur que j'aie entendu, et d'autres. Madame Schiffrin me demande si je n'ai pas été acteur.

Vendredi. Knopf[7]. 11 heures. Le grand genre. 12. Broadcasting. Gilson est sympa. Nous irons voir la Bowery ensemble. Je déjeune avec Rube et J. de Lannux qui nous promène ensuite en auto dans New York. Beau ciel bleu qui me force à penser que nous sommes à la latitude de Lisbonne, ce que j'ai du mal à imaginer. Au rythme de la circulation, les gratte-ciel dorés tournent et retournent dans le bleu au-dessus de nos têtes. C'est un bon moment.

Nous allons à Tryon Park au-dessus de Harlem d'où nous dominons le Bronx d'un côté, l'Hudson de l'autre. Des magnolias éclatent un peu partout. Je digère un nouvel exemplaire de ces *ice-cream* qui font ma joie. Encore un bon moment.

À l'hôtel à 4 heures, Bromley m'attend. Nous filons vers le New Jersey. Gigantesque paysage d'usines, de viaducs et de voies ferrées. Et puis tout d'un coup East Orange et la campagne la plus carte postale qui soit, avec des milliers de cottages propres et nets comme des jouets au milieu de grands peupliers et de magnolias. On me fait voir la petite bibliothèque publique, claire et gaie, où le quartier défile — avec une immense salle pour enfants. (Enfin un pays où on s'occupe vraiment des enfants.) Je regarde les fiches consacrées à la philosophie : W. James et c'est tout.

Chez Bromley, l'hospitalité américaine (son père est d'origine allemande d'ailleurs). Nous travaillons à la traduction de *Caligula* qu'il a terminée. Il m'explique que je ne sais pas soigner ma publicité, que j'ai ici un « standing » dont il faut profiter et que le succès de *Caligula* ici me mettrait, mes enfants et moi, à l'abri du besoin. D'après son calcul je gagnerais 1 500 000 dollars. Je ris et il secoue la tête. « Ah ! vous n'avez pas de *sense*. » Au retour, on se tutoie. C'est le meilleur des garçons et il veut que nous partions ensemble au Mexique. (Nota : c'est un Américain qui ne boit pas !)

Samedi. Régine. Je lui apporte mes cadeaux et elle pleure à chaudes larmes !

Un verre chez Dolorès. Puis Régine me fait visiter les grands magasins américains. Je pense à la France. Le soir dîner avec L.M. Du haut du *Plaza*, j'admire l'île couverte de ses monstres de pierre. Dans la nuit avec ses millions de fenêtres éclairées, et ses grands pans noirs qui portent ce clignotement à mi-hauteur du ciel, j'ai l'impression d'un gigantesque incendie en voie d'achèvement qui dresserait devant l'horizon des milliers d'immenses carcasses noires et farcies encore par des points de combustion. La charmante comtesse.

Dimanche. Promenade avec Chiaromonte et Abel[8] à Staten Island. Au retour, dans le bas Manhattan, immenses fouilles géologiques entre les gratte-ciel très rapprochés où nous avançons dépassés par un sentiment préhistorique. Nous dînons à China Town. Et je respire pour la première fois dans un lieu où je rencontre la vraie vie pullulante et mesurée que j'aime.

Lundi matin. Promenade avec Georgette Pope qui est venue jusqu'à mon hôtel, Dieu sait pourquoi. Elle est de Nouvelle-Calédonie. « *What is your husband's job ?* — Magician ! » Du haut de l'Empire States, par un vent glacial, nous admirons New York, ses vieilles eaux et ce débordement de pierres.

Au déjeuner la femme de Saint-Ex. — une délirante — raconte qu'à San Salvador son père a eu, avec 17 légitimes, quarante bâtards dont chacun a reçu un hectare de terre.

Soir, entretien à l'École libre des Hautes Études. Fatigué, je vais à Broadway avec J.S.

Rolley Skating 52e Rue O. Un immense vélodrome recouvert de poussière et de velours rouge. Dans une boîte rectangulaire perchée au fond sous le plafond, une vieille dame joue sur un grand orgue les airs les plus variés. Et des centaines de marins, de jeunes filles habillées pour la circonstance en combinaisons-culottes évoluent au bras l'un de l'autre dans un infernal vacarme de roulettes de fer et de grandes orgues. La description serait à pousser.

Ensuite *Eddy et Léon,* une boîte sans charme. Mais J.S. et moi nous faisons photographier pour nous récompenser dans une sorte de photographie de foire où on peut se faire photographier en Adam et Ève par le moyen de deux mannequins de carton tout à fait nus et percés d'un trou à la hauteur de la tête. On peut y passer son visage.

J. qui parle bien de l'amour américain tient à me faire connaître les taxi-girls. Une petite salle poussiéreuse aux lumières tamisées. Chaque nickel de dix cents donne droit à une danse. Mais si on veut causer avec la dame, il faut s'installer dans le fond de la salle de chaque côté d'une petite barrière et on ne peut pas s'approcher. Impression de refoulement et de terrible exaspération sexuelle. J. me raconte le *V Day* et les scènes d'orgie à Times Square.

Mardi. Avec Harold charmant qui me parle aussi de la femme américaine. Le soir French Institute emmerdant. Mais nous allons dans une boîte nègre avec le Dr Jerry Winter. Rocco, le pianiste nègre le plus formidable que j'aie entendu depuis des années. Il joue debout devant un piano roulant qu'il pousse devant lui. Le rythme, la force, la précision de ce jeu, et lui qui participe, qui saute, danse, jette tête et cheveux à droite et à gauche.

Impression que les nègres seuls donnent la vie, la passion et la nostalgie dans ce pays qu'ils colonisent à leur manière.

Nuit de Bowery. La misère — et un Européen a envie de dire : « Enfin le concret. » Les vraies épaves. Et les hôtels à vingt cents. Bowery Follies où de très vieilles chanteuses viennent se produire dans un décor de « saloon » devant un auditoire misérable. Et, à quelques pas, les plus splendides boutiques de mariées qu'on puisse voir — tout réuni — des glaces, brillant, etc. Oui, une nuit étonnante.

W. Frank[9]. Un des rares hommes supérieurs que j'aie rencontré ici. Il désespère un peu de l'Amérique d'aujourd'hui et la compare avec celle du XIXe siècle. « Les grands esprits (Melville) ont toujours été des solitaires ici. »

Vassar College. Une armée de jeunes starlettes aux longues jambes qui se croisent sur les pelouses. Ce qu'on fait pour la jeunesse ici vaut la peine d'être retenu.

Dimanche. Longue conversation avec Ch. Pouvons-nous refaire une église laïque ?

L'après-midi avec des étudiants. Ils ne sentent pas le vrai problème et pourtant leur nostalgie est évidente. Dans ce pays où *tout* s'emploie à prouver que la vie n'est pas tragique, ils ont le sentiment d'un manque. Ce grand effort est pathétique, mais il faut rejeter le tragique *après* l'avoir regardé, non avant.

Lundi. Ryder[10] et Figari[11]. Deux très grands peintres. La peinture mystique d'inspiration, et artisanale ou presque de technique (ce sont presque des émaux) de Ryder fait penser irrésistiblement à Melville dont il était à peu près le contemporain (cadet). Oui, la grande Amérique est là. Et maintenant ? Figari a tout : la nostalgie, la force, l'humour.

Puis Alfred Stieglitz, espèce de vieux Socrate américain. « La vie m'apparaît de plus en plus belle à mesure que je vieillis : mais vivre de plus en plus difficile. N'espérez rien de l'Amérique. Sommes-nous une fin ou un commencement ? Je crois que nous sommes une fin. C'est un pays où l'on ne connaît pas l'amour. »

Le soir. Cirque. Quatre pistes. Tout le monde travaille en même temps. Et moi je ne vois rien.

Tucci : Que les rapports humains sont très faciles ici parce qu'il n'y a pas de rapports humains. Ils restent à l'écorce. Par respect et par paresse.

Les milliers de généraux et d'amiraux d'opérette qui, à New York, sont portiers, captains et boys. Les liftiers comme des ludions par milliers montant et redescendant dans leurs grandes boîtes.

19 avril. Nuit encore dans la Bowery. Et l'*elevated*[12] — nous sommes à l'avant — qui fonce à hauteur du cinquième étage, et les gratte-ciel tournent autour avec lenteur et la machine avale les petites lumières rouges et bleues, se laisse digérer un moment par les petites gares et reprend sa course vers des quartiers de plus en plus misérables où circulent de moins en moins d'autos.

À nouveau les Bowery Follies et les vieilles chanteuses qui se produisent ici au bout d'une carrière. Énormes, avec des trognes plâtrées et suintantes — et se mettant tout d'un coup à trépigner de façon à faire sauter les paquets de chair informe dont elles sont couvertes. « Je suis un oiseau dans une cage dorée. » — « Moi je n'ai pas d'ambition. » — « Je ne suis le bébé de personne », etc. Les moins moches n'ont pas de succès. Il faut être ou *très beau* ou *très moche*. Instructif. Il y a une médiocrité même dans la laideur. Et puis la nuit. Et, dans un décor de pouillerie, ces Roumains qui chantent et dansent à perdre haleine. Transporté à l'extrémité d'une terre exaltée — et ce visage inoubliable.

Quand on regarde du haut du Riverside, le Highway, le long de l'Hudson, la file ininterrompue des autos au roulement doux et bien huilé laisse monter un chant à la fois grave et lointain qui est exactement le bruit des vagues.

À Philadelphie, petits cimetières pleins de fleurs sous les énormes gazomètres.

Douceur des soirs sur les vastes pelouses de Washington, quand le ciel devient rouge et que l'herbe commence à noircir, que des nuées de négrillons s'y renvoient une balle avec une latte de bois au milieu de cris joyeux, que des Américains en chemise, débraillés, affalés sur des bancs, venus tout droit d'un saloon de vieux film, sucent avec un reste d'énergie des glaces moulées dans du carton pasteurisé, tandis que les écureuils viennent déterrer sous vos pieds des friandises dont ils sont les seuls à savoir le nom et que, dans les cent mille arbres de la ville, un million d'oiseaux saluent l'apparition de la première étoile, au-dessus de la pyramide de Washington et dans le ciel encore clair, alors que des créatures aux longues jambes arpentent les chemins d'herbe dans la perspective des grands monuments, offrant au ciel un moment détendu leur visage splendide et leur regard sans amour.

Peste : c'est un monde sans femmes et donc irrespirable.

Celui qui a raison est celui qui n'a jamais tué. Ce ne peut donc être Dieu.

Ma curiosité pour ce pays a cessé d'un coup. Comme de certains êtres dont je me détourne sans explication et sans plus d'intérêt (ce que me reproche F.). Et je vois bien les mille raisons qu'on peut avoir de s'y intéresser, je serais capable d'en présenter la défense et l'apologie, je puis en reconstruire la beauté ou l'avenir, mais simplement mon cœur a cessé de parler et...

Théâtre chinois de China Town. Une grande salle poussiéreuse et ronde. Le spectacle dure de 6 h à 11 h P.M. et se déroule devant 1 500 Chinois qui mangent des cacahuètes, jabotent, entrent, sortent et suivent le spectacle avec une sorte de distraction un peu fixe. Les enfants courent au milieu de la salle. Sur la scène, les acteurs en costume jouent à côté de musiciens en costume de ville et en bretelles qui s'interrompent de temps en temps pour manger un sandwich ou redresser la culotte d'un enfant. De même, pendant toute l'action, des machinistes en gilet et en manches de chemise entrent et sortent pour ramasser une épée échappée des mains d'un mourant, pour placer une chaise ou en enlever une autre, le tout sans nécessité réelle. Par les portes des coulisses on aperçoit de temps en temps les acteurs qui attendent leur entrée et qui bavardent ou qui suivent l'action.

Quant à la pièce, le programme étant en chinois, j'ai essayé d'en inventer le sujet. Mais je soupçonne que je n'ai commis que des contresens. Car au moment où un brave homme meurt sur scène de la façon la plus réaliste au milieu des lamentations de la veuve et de ses amis, alors que je me sens fort sérieux, le public rit. Et à l'entrée clownesque d'une sorte de magistrat à voix de crécelle, je suis le seul à rire, tout le public marquant une sorte de respectueuse attention. Une sorte de boucher couvert de sang tue un homme. Il oblige un jeune Chinois à transporter le corps. Le jeune Chinois a si peur que ses genoux claquent l'un contre l'autre...

De New York au Canada

Grande campagne propre et aérée avec les petites et grandes maisons à colonnes blanches et les grands arbres bien bâtis et les pelouses qui ne sont jamais séparées par des barrières si bien que c'est une seule pelouse qui appartient à tout le monde et où de beaux enfants et des adolescents souples rient à une vie remplie de bonnes choses et de crèmes riches. La nature ici contribue au beau conte de fées américain.

Un récit d'une enfance américaine et il cherche en vain ce que son cœur appelle. Il se résigne.

La chouette qui tenait la batterie aux Bowery Follies.

Deux êtres s'aiment. Mais ils ne parlent pas la même langue. L'un parle les deux langues mais l'une imparfaitement. Cela suffit pour qu'ils s'aiment. Mais celui qui savait les deux langues meurt. Et ses dernières paroles sont dans sa langue natale que l'autre est impuissant à saisir. Il guette, il guette...

Petite auberge au cœur des Adirondacks[13] à mille lieues de tout. Entrant dans la chambre, ce sentiment bizarre : un homme arrive, au cours d'un voyage d'affaires, sans idée préconçue, dans un pays sauvage et une auberge éloignée. Et là, le silence de cette nature, la simplicité de la chambre, l'éloignement de tout le font décider de rester définitivement, de couper tous ses liens avec ce qui fut sa vie et de ne plus jamais donner signe de vie à qui que ce soit.

Nouvelle-Angleterre et Maine. Le pays des lacs et des maisons rouges. Montréal et les deux collines. Un dimanche. Ennui. Ennui. La seule chose drôle : les tramways qui ressemblent par la forme et la dorure aux chars de carnaval. Ce grand pays calme et lent. On sent qu'il a tout ignoré de la guerre. L'Europe qui avait des siècles d'avance dans la connaissance vient d'en prendre quelques autres, en quelques années seulement, dans la conscience.

Refaire et recréer la réflexion grecque comme une révolte contre le sacré. Mais non pas la révolte contre le sacré du romantique — elle-même une forme du sacré — mais la révolte comme une mise à sa place du sacré[14].

L'idée de messianisme à la base de tous les fanatismes. Le messianisme contre l'homme. La réflexion grecque n'est pas historique. Les valeurs sont *préexistantes. Contre* l'existentialisme *moderne*[15].

Peste. Tarrou fréquente les danseuses espagnoles. Il n'aime que la passion. Naturellement un homme doit se battre. « Mais s'il cesse d'aimer par ailleurs, à quoi serve qu'il se batte. »

Dans les journaux américains : Une arme plus terrible que la bombe atomique : « La peste noire au Moyen Âge a tué à certains endroits 60 % de la population. On ne sait pas si les savants américains ont trouvé des moyens de la répandre, mais les Japonais n'y sont pas parvenus en Chine. Ils avaient semé la peste noire dans le riz. »

Le prodigieux paysage de Québec. À la pointe du cap Diamond devant l'immense trouée du Saint-Laurent, air, lumière et eaux se confondent dans des proportions infinies. Pour la première fois dans ce continent l'impression réelle de la beauté et de la vraie grandeur. Il me semble que j'aurais quelque chose à dire sur Québec et sur ce passé d'hommes venus lutter dans la solitude poussés par une force qui les dépassait. Mais à quoi bon ? Il y a maintenant des quantités de choses dont je sais que je les *réussirais* artistiquement parlant. Mais ce mot n'a plus de sens pour moi. La seule chose que je voudrais dire j'en ai été incapable jusqu'ici et je ne la dirai sans doute jamais.

Faire une pièce sur la bureaucratie (aussi stupide en Amérique qu'ailleurs)[16].

Même l'Armée du Salut fait de la publicité ici. Et sur ses publicités les femmes de l'Armée ont les joues rouges et le sourire éclatant…

Le père de Zaharo[17]. Polonais. Gifle un officier à quinze ans. Se sauve. Parvient à Paris un jour de Carnaval. Achète avec les quelques sous qu'il a des confettis et les vend. Trente ans plus tard il a une énorme fortune et une famille. Illettré complètement, son fils lui fait des lectures au hasard. Il lui lit l'Apologie de Socrate. « Tu ne me liras plus d'autre livre, dit le père. Celui-là dit tout. » Et depuis il se fait toujours lire ce livre. Il déteste les juges et la police.

Manhattan. Quelquefois par-dessus les *skyscrapers*, à travers des centaines de milliers de hauts murs un cri de remorqueur vient retrouver votre insomnie au cours de la nuit et vous rappeler que ce désert de fer et de ciment est une île [18].

Le type de Holland Tunnel à New York ou du Sumner Tunnel à Boston. Toute la journée sur une passerelle surélevée il compte les autos qui passent sans arrêt et dans un vacarme assourdissant le long du tunnel violemment éclairé et trop long pour qu'il aperçoive aucune des issues. C'est un héros de roman moderne.

B. comme Américain supérieur. Sa psychologie : les gens de mer aiment la montagne et les gens de la montagne aiment la mer.

Pluie sur New York[19]. Elle coule inlassablement entre les hauts cubes de ciment. Bizarre sentiment d'éloignement dans le taxi dont les essuie-glaces rapides et monotones balaient une eau sans cesse renaissante. Impression d'être pris au piège de cette ville et que je pourrais me délivrer des blocs qui m'entourent et courir pendant des heures sans rien retrouver que de nouvelles prisons de ciment, sans l'espoir d'une colline, d'un arbre vrai ou d'un visage bouleversé.

Le père de B. Juge de Cour suprême à Hambourg. Il a comme livre de chevet l'Indicateur Chaix allemand qui donne les heures de tous les trains du monde entier[20]. Il le sait presque par cœur et B. cite cette anomalie avec une admiration absolument sans ironie.

Pluies de New York. Incessantes, balayant tout. Et dans la brume grise les gratte-ciel se dressent blanchâtres comme les immenses sépulcres de cette ville habitée par les morts. À travers la pluie, on voit les sépulcres vaciller sur leur base.

Terrible sentiment d'abandon. Quand même je serrerais contre moi tous les êtres du monde, je ne serais défendu contre rien.

Peste. À Tarrou : — Avez-vous donc l'idée que vous connaissez totalement la vie ?

Tarrou : — Oui.

Révolte. Analyse poussée de la Terreur et de ses rapports avec la bureaucratie.

— Noter que notre temps marque la fin des idéologies. La bombe atomique interdit l'idéologie[21].

Julien Green se demande *(Journal)* s'il est possible d'imaginer un saint qui écrive un roman. Naturellement non parce qu'il n'y a pas de roman sans révolte. Ou alors il faut imaginer un roman qui mette en accusation le monde terrestre et l'homme — un roman absolument sans amour. Impossible.

En mer

Longueur de ce voyage de retour. Les soirs sur la mer et ce passage du soleil couchant à la lune sont les seuls moments où je me sente le cœur un peu détendu. J'aurai toujours aimé la mer. Elle aura toujours tout apaisé en moi.

Terrible médiocrité de ce milieu. Jusqu'à présent je n'ai pas souffert une seule fois de la médiocrité qui pouvait m'entourer. Jusqu'à présent. Mais ici, cette intimité va trop loin. Et dans tous, en même temps, ce quelque chose qui pourrait aller loin, si seulement...

Deux êtres jeunes et beaux ont commencé une idylle sur ce bateau et aussitôt une sorte de cercle méchant s'est refermé autour d'eux. Ces commencements de l'amour ! Je les aime et les approuve du fond du cœur — avec même une manière de gratitude pour ceux qui préservent sur ce pont, au centre de l'Atlantique éclatant de soleil, à mi-chemin de continents en folie, ces vérités que sont la jeunesse et l'amour. Mais pourquoi ne pas donner son nom aussi à cette envie que je me sens au cœur et à ce désir tumultueux qui me prend de retrouver le cœur impatient que j'avais à 20 ans. Mais je connais le remède, je regarderai longtemps la mer.

Tristesse de me sentir encore si vulnérable. Dans 25 ans j'en aurai 57. 25 ans donc pour faire mon œuvre et trouver ce que je cherche. Ensuite, la vieillesse et la mort. Je sais quel est le plus important pour moi. Et je trouve encore le moyen de céder aux petites tentations, de perdre du temps en conversations vaines ou en flâneries stériles. J'ai maîtrisé deux ou trois choses en moi. Mais que je suis loin de cette supériorité dont j'aurais tant besoin.

Merveilleuse nuit sur l'Atlantique. Cette heure qui va du soleil disparu à la lune à peine naissante, de l'ouest encore lumineux à l'est déjà sombre. Oui, j'ai beaucoup aimé la mer — cette immensité calme — ces sillages recouverts — ces routes liquides. Pour la première fois un horizon a la mesure d'une respiration d'homme, un espace aussi grand que son audace. J'ai toujours été déchiré entre mon appétit des êtres, la vanité de l'agitation et le désir de me rendre égal à ces mers d'oubli, à ces silences démesurés qui sont comme l'enchantement de la mort. J'ai le goût des vanités du monde, de mes semblables, des visages, mais à côté du siècle, j'ai une règle à moi qui est la mer et tout ce qui dans ce monde lui ressemble. Ô douceur des nuits où toutes les étoiles oscillent et glissent au-dessus des mâts, et ce silence en moi, ce silence enfin qui me délivre de tout.

AMÉRIQUE DU SUD

Juin à août 1949

30 juin

En mer. Journée épuisante. R. et moi conduisons à toute allure pour être à temps à Marseille. Desdémone[1] nous le permet. À Marseille, chaleur torride en même temps qu'un vent à vous couper le visage. Même la nature est ennemie. Cabine seule. J'attends le départ, marchant à travers les coursives et les ponts. Sentiment de honte en voyant les passagers de 4e classe, logés dans l'entrepont, dans des couchettes superposées, style concentrationnaire. Des langes pendent, souillés. Des enfants vont vivre 20 jours dans cet enfer. Et moi... Le bateau lève l'ancre avec 2 heures de retard. Dîner. À ma table, G. professeur d'histoire de la philosophie à la Sorbonne — un petit jeune homme qui va retrouver sa famille en Argentine et Mme C. qui va retrouver son mari. Celle-ci est marseillaise, longue fille brune. Elle dit tout ce qui lui passe par la tête — et c'est quelquefois amusant. D'autres fois... En tout cas, elle vit. Les autres sont morts — et moi aussi, après tout. Après le dîner, G. qui a fait des allusions à l'état de pestiféré, me présente à un professeur brésilien et sa femme comme « l'auteur de *La Peste* ». J'ai bonne mine ! G. dans le « salon de musique » (où l'on pourrait loger commodément la moitié des émigrants de 4e classe) nous joue des riens sur le piano du bord, qui a l'air d'avoir coulé toutes ses bielles. Conversation ensuite. Éloge de Salazar par le professeur brésilien. Mme C. fait deux énormes gaffes en essayant de persuader les Brésiliens qu'il y a une révolution tous les jours en Amérique du Sud. J'entends des « Elle était du peuple, tout ce qu'il y a de plus bas... » et autres perles. Je salue et m'en vais. À l'arrière, où je vais me réfugier, des émigrants boivent du vin à l'outre et chantent. Je reste avec eux, inconnu et heureux (pendant dix secondes). Et puis je vais regarder la mer. Un croissant de lune monte au-dessus des mâts. Jusqu'à perte de vue, dans la nuit pas encore épaisse, la mer — et un sentiment de calme, une mélancolie puissante montent alors des eaux. J'ai toujours tout apaisé sur la mer et cette solitude infinie me fait du bien pour un moment, bien que j'aie l'impression que cette mer roule aujourd'hui toutes les larmes du monde. Je reviens dans ma cabine écrire ceci — comme je voudrais le faire tous les soirs, sans rien dire d'intime, mais en n'oubliant rien des événements de la journée. Tourné vers ce que j'ai laissé, le cœur anxieux, je voudrais pourtant dormir.

1er juillet

Réveillé avec de la fièvre, je reste couché, rêvant et somnolant une partie de la matinée. À 11 heures, je vais mieux et sors. G. sur le pont. Nous parlons philosophie. Il veut faire la philosophie de l'histoire de la philosophie. Il a bien raison. Mais, selon lui, il est resté jeune et aime vivre. Il a encore raison. Déjeuner avec mes trois mousquetaires. Mme C. gaffe encore, en demandant à G. s'il est professeur de collège, alors qu'il est en Sorbonne. Mais elle ne s'en rend pas compte. J'observe l'attitude des hommes envers elle. On la croit légère parce qu'elle est gaie. C'est une erreur naturellement. L'après-midi, je lis le récit des révolutions brésiliennes — l'Europe n'est rien. À cinq heures, je vais travailler au soleil. Le soleil écrase la mer qui respire à peine et le bateau est chargé de gens silencieux à l'arrière et à l'avant. En revanche, le pick-up du bord hurle des rengaines aux quatre points cardinaux. On me présente à une jeune Roumaine qui quitte l'Angleterre pour aller vivre en Argentine. Une passionnée — ni belle ni laide, et légère moustache. Ensuite, je vais lire dans ma cabine, puis me rhabille pour le dîner. Triste. Je bois du vin. Après dîner, conversation, mais je regarde la mer et tente une fois de plus de fixer l'image que je cherche depuis vingt ans pour ces ramages et ces dessins que fait sur la mer l'eau rejetée par l'étrave[2]. Quand je l'aurai trouvée, ce sera fini.

À deux reprises, idée de suicide. La deuxième

fois, toujours regardant la mer, une affreuse brûlure me vient aux tempes. Je crois que je comprends maintenant *comment* on se tue. Reconversation — à mâchoires décrochées. Je monte sur le pont supérieur, dans l'obscurité, et finis ma journée, après avoir pris des décisions de travail, devant la mer, la lune et les étoiles. — Les eaux sont à peine illuminées sur la surface, mais on sent leur obscurité profonde. La mer est ainsi, et c'est pourquoi je l'aime ! Appel de vie et invitation à la mort.

2 juillet

La monotonie s'est installée. Un peu de travail le matin. Soleil sur le pont supérieur. Avant déjeuner, je finis par être présenté à tous les passagers. Nous ne sommes pas gâtés en jolies femmes, mais je le dis sans amertume. Toute l'après-midi devant Gibraltar, la mer soudainement calmée, sous cet énorme rocher aux pentes de ciment, à gueule abstraite et hostile. Ce sont les airs de la puissance. Puis Tanger aux douces maisons blanches. À six heures dans le jour finissant, la mer monte un peu et pendant que les haut-parleurs du bord tonitruent *L'Héroïque*, nous nous éloignons des bords sourcilleux de l'Espagne et nous quittons l'Europe définitivement. Je ne cesse de regarder cette terre, le cœur serré.

Après le dîner, cinéma. Un navet américain de fort calibre dont je ne peux avaler que les premières images. Je retourne à la mer.

3 juillet

Ce sont des journées sans relief. Ce matin, bain à la piscine (l'eau m'arrive au ventre) et ping-pong où je me dérouille enfin les muscles. Cette après-midi, course de chevaux (aux dés) avec ma malchance habituelle. Nous sommes sur l'Atlantique et le bateau roule beaucoup sous la grande houle. Essayé de travailler, mais sans grand succès. Finalement, je lis le Journal de Vigny où beaucoup de choses m'enchantent, sauf son côté cygne constipé. Et je préfère à tout cette cabine étroite et nette, cette couchette dure, et ce dénuement. Ou cette solitude sans superflu ou l'orage de l'amour, rien d'autre ne m'intéresse au monde. N'ai-je rien oublié ? Je ne crois pas. Je finis la journée, comme d'habitude devant la mer, somptueuse ce soir sous la lune, qui écrit sur la houle lente des signes arabes en traits phosphorescents. Le ciel et les eaux n'en finissent plus. Comme la tristesse y est bien accompagnée !

4 juillet

Même journée. Aggravée par la somnolence — comme si cette interminable série de nuits d'insomnie se rappelait soudain à moi. Je me couche plusieurs fois dans la journée et m'endors chaque fois alors que ma nuit a pourtant été bonne. Entre-temps, travail, piscine, soleil (à 2 heures, car le reste du temps c'est une grenouillère) et Vigny. J'y trouve beaucoup de choses qui recoupent mon état d'esprit. Et ceci encore « Si le suicide est permis, c'est dans l'une de ces situations où un homme est de trop au milieu d'une famille et où sa mort rendrait la paix à tous ceux que trouble sa vie ». Il faut dire pourtant que bruni, reposé, nourri et habillé de clair, j'ai tous les airs de la vie. Je pourrais plaire, il me semble. Mais à qui ?

Devant la mer, avant de me coucher. Cette fois la lune éclaire tout un couloir de mer qui, avec le mouvement du navire, semble, dans l'océan obscur, un fleuve laiteux et abondant qui descend inlassablement vers nous[3]. J'avais déjà essayé, dans la journée, de noter des aspects de la mer, que je rapporte :

Mer du matin : Immense vivier de poissons — lourde et frétillante — écailleuse — gluante — couverte de bave fraîche[4].

Mer de midi : pâle — grande plaque de tôle portée au blanc — grésillante aussi — elle va se retourner brusquement pour offrir au soleil sa face humide, maintenant dans les ténèbres... etc.[5].

Bonsoir.

5 juillet

Matinée au bain, au soleil, puis au travail. À midi, nous passons le Tropique du Cancer, sous un soleil vertical qui tue toutes les ombres. Il ne fait pourtant pas une chaleur excessive. Mais le ciel est bourré d'une mauvaise brume et le soleil a l'air d'une maladie. La mer semble une énorme bouffissure, avec l'éclat métallique des décompositions. Dans l'après-midi, grand événement : nous dépassons un paquebot qui fait la même route que nous. Le salut que se font les deux bateaux avec trois grands cris d'animaux préhistoriques, les signaux des passagers perdus sur la mer et alertés par la présence d'autres hommes, la séparation enfin sur les eaux vertes et malveillantes — tout cela serre un peu le cœur. Je reste longtemps ensuite devant la mer, plein d'une étrange et bonne exaltation. Après dîner, je vais à l'avant. Les émigrants jouent de l'accordéon et dansent dans la nuit où la chaleur semble déjà monter.

6 juillet

Le jour se lève sur une mer d'acier, pleine d'écailles aveuglantes, et houleuse. Le ciel est blanc de brume et de chaleur, d'un éclat mort mais insoutenable, comme si le soleil s'était liquéfié et répandu dans l'épaisseur des nuages, sur toute l'étendue de la calotte céleste. À mesure que la journée avance, la chaleur croît dans l'air livide. Tout le long du jour, l'étrave débusque des nuées de poissons volants hors de leurs buissons de vagues. À 7 heures du soir, la côte s'aperçoit, morne et lépreuse. Nous descendons à Dakar dans la nuit. Deux ou trois cafés violemment éclairés au néon, les grands nègres admirables de dignité et d'élégance, dans leurs longs boubous blancs, les négresses aux robes anciennes, de couleurs vives, l'odeur d'arachide et de crottin, la poussière et la chaleur. Quelques heures seulement, mais je retrouve l'odeur de mon Afrique, odeur de misère et d'abandon, odeur vierge et forte aussi, dont je connais la séduction. Quand je regagne le bateau, une lettre. Pour la première fois, je me couche un peu pacifié.

7 juillet

Nuit d'insomnie. Chaleur. Piscine et puis je reviens m'étendre dans ma cabine. Vigny, que je termine. Après déjeuner j'essaie de dormir, en vain. Je travaille jusqu'à 6 heures avec de bons résultats. Et puis je suis sur le pont promenade cet étrange personnage que j'observe depuis le début du voyage. Toujours vêtu, et jusque sous le Tropique, d'un complet de laine gris noir, col dur, casquette de voyage, souliers noirs, 60 ans. Petit, mince, l'air d'un rat volontaire. Seul à table, sa chaise longue toujours à la même place sur le pont promenade, il ne lit que *Les Nouvelles littéraires* dont il semble avoir une collection inépuisable et qu'il lit de la première à la dernière ligne. Il fume cigare sur cigare et n'adresse la parole à personne. La seule conversation que je lui ai entendue était pour demander à un marin si les marsouins étaient gras ou maigres. Il lui arrive aussi de boire (du pastis) avec un jeune

Suisse allemand qui ne parle pas français. Lui-même ne parle pas allemand. Cela fait une conversation de sourds-muets. Ce soir, le suivant pendant quatre tours du pont promenade, je remarque qu'il n'a pas regardé une seule fois la mer. Personne, à bord, ne sait son métier.

Avant dîner, je regarde le soleil se coucher. Mais il est absorbé par la brume bien avant l'horizon. À ce moment, la mer est rose à bâbord, bleue à tribord. Nous marchons sur une étendue sans limites. Il n'y aura pas de terre avant Rio. L'heure du soir est soudain merveilleuse. L'eau épaisse, se ternit un peu. Le ciel se distend. Et à l'heure du plus grand apaisement des centaines de marsouins surgissent des eaux, caracolent un moment, et fuient vers l'horizon sans hommes. Eux partis, c'est le silence et l'angoisse des mers primitives. Après dîner, je reviens devant la mer, à l'avant du bateau. Elle est somptueuse, lourde et brodée. Le vent me fouette brutalement le visage, venant de face, après avoir parcouru des espaces dont je n'imagine même plus l'étendue. Je me sens seul et un peu perdu, ravi enfin et sentant mes forces renaître peu à peu devant cet avenir inconnu et cette grandeur que j'aime.

8 juillet

Nuit d'insomnie. Toute la journée, je promène une tête creuse et un cœur vide. La mer est mauvaise. Le ciel bouché. Les ponts sont désertés. Du reste, depuis Dakar, nous ne sommes plus qu'une vingtaine de passagers. Trop fatigué pour décrire la mer aujourd'hui.

9 juillet

Nuit meilleure. Le matin, je me promène sur les grands ponts vides. Les alizés que nous rencontrons maintenant ont rafraîchi la température. Un vent court et dru brosse vigoureusement la mer qui se révulse en petites vagues sans écume.

Un peu de travail, beaucoup de flânerie. Je m'aperçois que je ne note pas les conversations avec les passagers. Certaines sont pourtant intéressantes, avec Delamain, l'éditeur et sa femme. Lu un charmant roman de celui-ci sur la fidélité. J'y reviendrai. Mais c'est aussi que mon intérêt en ce moment n'est pas réellement dirigé vers les êtres mais vers la mer et cette profonde tristesse en moi dont je n'ai pas l'habitude.

À 18 heures, au coucher du soleil, comme chaque soir, des disques de grande musique. Et soudain la *Toccata*, au moment où le soleil disparaît derrière les nuages accumulés sur la ligne même de l'horizon. Dans le ciel d'opéra, d'immenses traînées rouges, des peluches noires, de fragiles architectures, qui ont l'air faites de fil de fer et de plumes, se disposent dans une vaste ordonnance rouge, verte et noire — couvrant tout le ciel, évoluant dans les éclairages les plus changeants, selon la chorégraphie la plus majestueuse. La *Toccata*, sur cette mer endormie, sous les fêtes de ce ciel royal... le moment est inoubliable. À ce point que le navire entier se tait, les passagers pressés sur les ponts, au bord occidental, ramenés au silence et à ce qu'ils ont de plus vrai, enlevés pour un instant à la misère des jours et à la douleur d'être.

10 juillet

Nous passons la ligne de l'équateur au matin, par un temps de Seine-et-Oise — frais, un peu aigre, le ciel moutonneux, la mer un peu hérissée. La cérémonie de la ligne étant supprimée, par manque de passagers, nous remplaçons ces rites par quelques jeux d'eau dans la piscine. Et puis, un moment avec les émigrants qui jouent de l'accordéon et chantent à l'avant du navire, tournés vers la mer déserte. Je remarque une fois de plus parmi eux, une femme déjà grisonnante, mais d'une classe superbe, un beau visage fier et doux, des mains et des poignets comme des tiges, et une allure sans pareille. Toujours suivie de son mari, grand homme blond, taciturne. Renseignements pris, elle fuit la Pologne et les Russes et s'exile en Amérique du Sud. Elle est pauvre. Mais, la regardant, je pense aux maritornes bien vêtues qui occupent quelques-unes des cabines de première classe. Je n'ai pas encore osé lui adresser la parole.

Journée calme. Sauf grand dîner au champagne pour le passage de la ligne. À plus de quatre, la société m'est dure à supporter. Une histoire de Mme C. : « Sa grand-mère : — Oh moi ! dans la vie, voyez-vous, je n'ai fait qu'effleurer toutes choses. Son grand-père : — Allons, mon amie, vous m'avez pourtant donné deux fils ! »

Après dîner, on régale les passagers d'un Laurel et Hardy. Mais je fuis à l'avant, contempler la lune et la Croix du Sud vers laquelle nous marchons, sans arrêt. Surpris de voir combien peu d'étoiles, et presque anémiées, dans ce ciel austral. Je pense à nos nuits d'Algérie, fourmillantes.

Resté longtemps devant la mer. Malgré tous mes efforts et mes raisonnements, impossible de secouer cette tristesse que je ne comprends même plus.

11 juillet

Le jour se lève, au milieu du Pot au Noir, sous une pluie battante. Des paquets d'eau lavent les ponts à grande eau, mais la température reste étouffante et morte. Au milieu de la journée, le ciel s'éclaircit, mais la mer est mauvaise, le navire tangue et roule. Quelques défections à la salle à manger. Travaillé. Mal. Vers le soir, le ciel peu à peu se charge à nouveau de nuages et s'épaissit de minute en minute. La nuit vient, très rapide, sur une mer d'un noir d'encre.

12 juillet

Pluie, vent, mer furieuse. Des malades. Le navire avance, entouré de la fumée des embruns.

Dormi et travaillé. Vers la fin de l'après-midi, le soleil fait son apparition. Nous sommes déjà à la latitude de Pernambouc et filons vers la côte. Le soir, le ciel se couvre à nouveau. Des nuées tragiques viennent du continent à notre rencontre — messagers d'une terre effrayante. C'est l'idée qui me vient tout d'un coup et réveille le pressentiment absurde que j'ai eu devant ce voyage. Mais le soleil dissipera tout.

13 juillet

Un soleil radieux inonde sans arrêt les espaces de la mer. Et le bateau entier est baigné d'une lumière éblouissante. Piscine, soleil. Et je travaille tout l'après-midi. Le soir est frais et doux. Nous arrivons dans deux jours. Tout d'un coup, l'idée de quitter ce bateau, cette cabine étroite où j'ai pu abriter pendant de longs jours un cœur détourné de tout, cette mer qui m'a tant aidé, m'effraie un peu. Recommencer à vivre, à parler. Des êtres, des visages, un rôle à jouer, il y faudrait plus de courage que je ne m'en sens. Par bonheur, je suis en pleine forme physique. Il y a pourtant des moments où je voudrais éviter la face humaine.

Tard dans la nuit, sur le bateau endormi, je regarde la nuit. La curieuse lune australe, aplatie sur son sommet, illumine les eaux dans la direction du Sud. On imagine ces milliers de kilomètres, ces solitudes où les eaux épaisses et brillantes font comme une glèbe huileuse. Ceci du moins serait la paix.

14 juillet

Beau temps perpétuel. Je termine mon travail, celui du moins que j'ai pu mener à bien sur le bateau, ayant renoncé au reste. Dans l'après-midi, à quelques centaines de mètres dans les eaux, une énorme bête noire monte à la surface, y chevauche quelques vagues et lance deux jets de poussière d'eau. Le garçon du bar près de moi, m'affirme que c'est une baleine. Et sans doute la taille, la terrible force de la nage, l'air de bête solitaire... mais je reste sceptique. L'après-midi, courrier et valises. Le soir réception du commandant et dîner pour le 14 juillet. Pour la première fois, coucher du soleil sans brume. Le soleil, à droite et à gauche, est entouré par les premiers contreforts du Brésil, noirs et découpés. Nous dansons, signons des menus, échangeons des cartes et nous promettons tous de nous revoir, foi d'animal. Demain, tout le monde aura oublié tout le monde. Je me couche tard, fatigué et me raisonnant pour aborder ce pays dans un esprit plus détendu.

15 juillet

À quatre heures du matin, un branle-bas sur le pont supérieur me réveille. Je sors. Il fait nuit encore. Mais la côte est très proche : des croupes noires et régulières, très découpées, mais les découpures sont rondes, — vieux profils d'une des plus vieilles terres du globe. Au loin, des lumières. Nous longeons la côte pendant que la nuit s'éclaircit, l'eau frissonne à peine, nous virons largement et les lumières sont maintenant en face de nous, mais lointaines. Je retourne dans ma cabine. Lorsque je remonte, nous sommes déjà dans la baie, immense, fumante un peu dans le jour naissant, avec des condensations soudaines de la lumière qui sont les îles. La brume disparaît rapidement. Et nous apercevons les lumières de Rio courant le long de la côte, le « Pain de sucre » avec quatre lumières à son sommet et, sur le plus haut sommet des montagnes, qui semblent écraser la ville, un immense et regrettable Christ lumineux. À mesure que la lumière naît, on voit mieux la ville, resserrée entre la mer et les montagnes, étalée en longueur, étirée interminablement. Au centre, d'énormes buildings. Toutes les minutes, un grondement au-dessus de nous : un avion décolle dans le jour naissant, se confondant d'abord avec la terre, puis s'élevant dans notre direction et passant au-dessus de nos têtes dans un grand bruit d'élytres. Nous sommes au milieu de la rade et les montagnes font autour de nous un cercle presque parfait. Enfin, une lumière plus sanguine annonce le lever du soleil, qui surgit derrière les montagnes de l'est, face à la ville, et commence à monter dans un ciel pâle et frais. La richesse et la somptuosité des couleurs qui jouent alors sur la baie, les montagnes et le ciel, font taire tout le monde, une fois de plus. Une minute après, les couleurs semblent les mêmes, mais c'est la carte postale. La nature a horreur des trop longs miracles.

Formalités. Puis descente. Immédiatement, c'est le tourbillon que je craignais. Des journalistes étaient déjà montés à bord. Questions, photos. Ni pire, ni mieux qu'ailleurs. Mais aussitôt sorti dans Rio, accueilli par Mme M. et un grand journaliste brésilien, rencontré déjà à Paris, très sympathique, le calvaire commence. Dans la confusion d'une première journée, je note au hasard :

1°. On me donne à choisir entre une chambre à la résidence de l'ambassade, qui est déserte, et un palace comme il y en a partout. Je fuis la sale gueule du palace et me félicite de trouver la plus simple et la plus charmante des chambres, dans une résidence absolument vide.

2°. Les automobilistes brésiliens sont des fous joyeux ou de froids sadiques. La confusion et l'anarchie de cette circulation ne sont compensées que par une loi : arrive le premier, coûte que coûte.

3°. Le contraste le plus frappant est fourni par l'étalage de luxe des palaces et des buildings modernes avec les favelas, à cent mètres quelquefois du luxe, sortes de bidonvilles accrochés au flanc des collines, sans eau ni lumière, où vit une population misérable, noire et blanche. Les femmes vont chercher l'eau au pied des collines, où elles font la queue, et remportent leur provision dans des bidons de tôle qu'elles portent sur la tête comme les femmes kabyles. Pendant qu'elles attendent, passent devant elles, en file ininterrompue, les bêtes nickelées et silencieuses de l'industrie automobile américaine. Jamais luxe et misère ne m'ont paru si insolemment mêlés. Il est vrai que, selon un de mes compagnons, « ils s'amusent beaucoup, au moins ». Regret et cynisme — B. seul généreux. Il m'emmènera dans les favelas qu'il connaît bien : « J'ai été reporter criminel et communiste, dit-il. Deux bonnes conditions pour connaître les quartiers de la misère. »

4°. Les êtres. Déjeuner avec Mme M., B. et une sorte de notaire maigre, lettré et spirituel, dont je n'ai retenu que le prénom, et pour cause, Annibal, dans un Country Club qui porte bien son nom : tennis, pelouses, jeunes gens. Annibal a six filles, toutes jolies. Il dit que le mélange de la religion et de l'amour est bien intéressant au Brésil. À un littérateur brésilien qui avait traduit Baudelaire, il a télégraphié « Prière me retraduire immédiatement en français. Signé : Baudelaire. » Il ressemble à beaucoup de ces Espagnols très fins qu'on rencontre au fond des provinces.

5°. Un des trois ou quatre bateaux de guerre brésiliens, qu'on m'a montré et qui me semble dater un peu, s'appelle *Terror do Mondo*. Il a fait plusieurs révolutions.

6°. Les êtres. Après déjeuner, réception chez Mme M. Bel appartement sur la rade. L'après-midi est douce sur les eaux. Du monde, mais dont j'oublie les noms. Un traducteur de Molière dont un bon confrère me dit qu'il a ajouté un acte au *Malade imaginaire*, qui n'était point assez long pour faire un spectacle. Un philosophe polonais dont le ciel, s'il est bon, me préservera. Un jeune biologiste français en mission, furieusement sympathique. Surtout des jeunes gens d'une troupe noire qui veulent monter *Caligula* et à qui je promets de travailler avec eux. Puis je m'isole avec celui d'entre eux qui parle espagnol et, avec mon espagnol épouvantable, je tombe d'accord avec lui pour aller dans un bal nègre dimanche. Il est ravi de cette bonne farce que nous jouons aux officiels et me répète : « Segreto. Segreto. »

7°. Quand je crois que tout est fini, Mme M. m'annonce que je dîne avec un poète brésilien. Je ne dis rien, me promettant de couper à tout ce qui n'est pas indispensable à partir de demain. Et je me résigne. Mais je ne m'attendais pas à l'épreuve qui allait suivre. Le poète arrive, énorme, indolent, les yeux plissés, la bouche tombante. De temps en temps des inquiétudes, une brusque agitation, puis il se renverse dans son fauteuil et y halète un peu. Il se lève, pirouette, regagne encore son fauteuil. Il parle de Bernanos, Mauriac, Brisson, Halévy. Il connaît tout le monde, apparemment. On a été méchant avec lui. Il ne fait pas de politique franco-brésilienne, mais il a créé avec des Français une usine d'engrais. D'ailleurs, on ne l'a pas décoré. On a décoré tous les ennemis de la France dans ce pays. Mais pas lui, etc., etc.

Il rêve un moment, souffre visiblement d'on ne sait quoi et laisse enfin la parole au señorito, qui s'en empare goulûment. Car il y a un señorito, pareil à ceux qui promenaient des chiens hauts sur pattes sur la Calle Major à Palma de

Majorque[6] avant d'aller assister en connaisseurs aux exécutions de 36. Celui-là tranche de tout, je dois voir ceci, faire cela, le Brésil est un pays où l'on ne fait que travailler, pas de vicieux, d'ailleurs on n'a pas le temps, on travaille, on travaille, et Bernanos lui disait, et Bernanos a créé dans ce pays un style de vie, ah : on aime tant la France…

Effrayé par la perspective de ce tournoi, je mobilise le jeune biologiste pour qu'il vienne dîner avec nous. Dans l'auto, je demande qu'on n'aille pas dans un restaurant de luxe. Et le poète émerge de ses 150 kg et me dit, un doigt levé : « Il n'y a pas de luxe au Brésil. Nous sommes pauvres, misérables », tapotant affectueusement l'épaule du chauffeur galonné qui conduit son énorme Chrysler. Le poète ayant dit, soupire douloureusement et retourne dans sa niche de chair, où il se met distraitement à ronger un de ses complexes. Le señorito nous montre Rio qui est à la même latitude que Madagascar et tellement plus beau que Tananarive. « Tous des travailleurs », répète-t-il, affalé sur son coussin. Mais le poète fait arrêter sa voiture devant une pharmacie, se tire péniblement de sa place et nous demande de patienter un peu, car il va se faire faire une piqûre. Nous attendons, et le señorito commente : « Le pauvre, il a du sucre. » Letarget s'informe poliment : « Et ça augmente ? » Eh oui ! « Ça augmente. » Le poète revient, geignant, et s'effondre sur son pauvre coussin, dans sa misérable voiture. Nous atterrissons dans un restaurant, près des Halles — où on ne mange que du poisson — dans une salle quadrangulaire très haute de plafond, éclairée si brutalement au néon que nous avons l'air de poissons pâles évoluant dans une eau irréelle. Le señorito veut faire mon menu. Mais, épuisé, je voudrais manger légèrement et refuse tout ce qu'il m'offre. On sert le poète d'abord qui commence à manger sans nous attendre, ses gros doigts courts venant relayer parfois la fourchette. Il parle de Michaux, Supervielle, Béguin, etc., et s'interrompt de temps en temps pour cracher de son haut, dans son assiette, des arêtes et des bribes de son poisson. C'est la première fois que je vois faire cette opération sans que le corps se courbe. Merveilleusement adroit, au demeurant, il ne rate qu'une seule fois son assiette. Mais on nous sert, et je m'aperçois que le señorito m'a commandé des crevettes frites, que je refuse, en lui expliquant, avec ce que je crois être une aimable animation, que je connais ce plat, commun en Algérie. Là-dessus, le señorito se fâche rouge. On essaie de me faire plaisir, c'est tout. Humblement d'ailleurs, humblement. Il ne faut pas chercher au Brésil ce que j'ai en France, etc., etc. La fatigue aidant, une colère stupide me vient et je repousse déjà ma chaise pour me retirer. Une gentille intervention de Letarget et aussi la sympathie que je me sens malgré tout pour ce curieux personnage de poète me retiennent et je fais un grand effort pour me calmer. « Ah, dit le poète, suçant ses doigts, il faut beaucoup de patience pour le Brésil, beaucoup de patience. » Je dis seulement, et pour toute vengeance, qu'il me semblait n'en avoir pas manqué jusqu'ici. Là-dessus le señorito se calme aussi vite et aussi déraisonnablement qu'il s'est énervé et, dans un esprit de compensation, il m'accable de compliments qui me laissent sans voix. Tout le Brésil m'attend dans la fièvre. Ma venue dans ce pays est la chose la plus importante qui s'y soit passée depuis un nombre considérable d'années. J'y suis aussi célèbre que Proust... On ne l'arrête plus. Mais il conclut : « C'est pour cela que vous devez être patient avec le Brésil. Le Brésil a besoin de votre patience. La patience, voilà ce qu'il faut avec le Brésil... » et ainsi de suite. Malgré tout, le reste du repas se passe dans le calme, bien que le poète et le señorito ne cessent de faire des apartés en portugais, où je crois comprendre qu'on se plaint un peu de moi. Du reste, cette grossièreté de manières s'étale si naturellement qu'elle en devient aimable. Quittant le restaurant, le poète déclare qu'il a besoin d'un café et qu'il nous reconduira ensuite. Nous allons à son club, qui copie les clubs anglais et où je me résigne à boire un « vrai » cognac, dont je n'avais aucune envie. Le señorito en profite pour nous expliquer les difficultés administratives du *Figaro*, que je connais bien, mais dont il nous fait péremptoirement une description absolument fausse. Mais Chamfort a raison : quand on veut plaire dans le monde il faut se résoudre à se laisser apprendre beaucoup de choses qu'on sait par des gens qui les ignorent. Je donne cependant le signal du départ, non sans que le señorito ait dit triomphalement en montrant le poète, complètement couché dans son fauteuil, le bras en périscope tenant un monstrueux cigare : « S. est le plus grand poète du Brésil. » À quoi le poète, agitant faiblement le périscope, répond d'une voix douloureuse : « Il n'y a pas de plus grand poète du Brésil. » Je crois en avoir fini, lorsque, dans le hall, le poète, retrouvant soudain une énergie, me serre violemment le bras et me dit : « Ne bougez pas. Observez de tous vos yeux. Je vais vous montrer un personnage d'un de vos romans. » Nous apercevons sur le trottoir un petit homme mince, feutre en bataille, figure en rasoir. Le poète se précipite sur lui, le digère en une longue embrassade brésilienne et me dit : « Voilà un homme. Il est député de l'intérieur. Mais c'est un homme. » L'autre répond que Federico est d'une bonté excessive. Le señorito entre en jeu. Nouvelle embrassade, d'égal à égal, cette fois, le señorito étant poids plume. Et le señorito écarte la veste du député : « Regardez. » Le député porte revolver dans une belle gaine. Nous le quittons... « Il a tué une quarantaine d'hommes », dit le poète plein d'admiration. « Et pourquoi ? — Des ennemis. » Ah ! « Oui, il en tuait un, s'en faisait un rempart, et tuait les autres. — Le port d'armes est autorisé, dit Letarget sans broncher. — Pour lui, car il est député. » Et me regardant : « N'est-ce pas, c'est un personnage pour vous ? — Oui », dis-je. Mais il se trompe, c'est lui le personnage.

16 juillet

Lever tôt. Travail. Je mets mes notes au propre. Conversation avec le garçon qui me sert. Niçois, il veut aller en Amérique du Nord parce qu'il a trouvé les G.I. sympathiques. Comme il n'a pas pu obtenir de visa d'immigration, il est venu au Brésil pensant que ce serait plus facile d'y obtenir le visa nécessaire. Ce n'est pas plus facile. Je lui demande ce qu'il veut faire aux U.S.A. Il hésite entre la boxe et la chanson. Pour le moment, il s'entraîne à boxer. J'irai lundi avec lui à la salle d'entraînement.

Déjeuner avec Barleto chez une romancière et traductrice brésilienne. Maison charmante accrochée à une colline. Il y a du monde, naturellement, dont un romancier qui aurait écrit les *Buddenbrook* brésiliens, mais qui présente un curieux cas de culture incomplète. Si j'en crois B., on lui entend dire « des auteurs anglais comme Shakespeare, Byron ou David Copperfield ». A pourtant beaucoup lu. Comme ça m'est égal qu'il prenne David pour Charles, je lui trouve plutôt une très belle tête. Au déjeuner, un couscous brésilien, mais c'est un gâteau de poisson. Les convives s'exclament quand je demande à assister à un match de football et délirent littéralement en apprenant que j'ai eu une longue carrière de footballeur. J'ai rencontré sans le vouloir leur passion principale. Mais la maîtresse de maison traduit Proust et la culture française de tous est vraiment profonde.

Ensuite je propose à B. de se promener avec moi en ville.

Les petites rues à circulation interdite, gaiement éclairées par des enseignes multicolores et qui sont des havres de paix sont près des grandes artères à la circulation grondante. Comme si, entre la Concorde, la Madeleine, et l'Avenue de l'Opéra, la rue Saint-Honoré était interdite aux voitures. Le marché aux fleurs. Petit bar où l'on boit les « petits cafés » assis sur des chaises minuscules. Maisons mauresques à côté de gratte-ciel. Barleto me fait prendre ensuite un petit tramway style « jardinière », qui grimpe le long d'un raidillon abrupt sur les collines de la ville. Nous arrivons dans un quartier à la fois pauvre et luxueux qui domine la ville. Dans le soir finissant, la ville s'étend jusqu'aux horizons. Une multitude d'enseignes multicolores fument au-dessus d'elle. Dans le ciel doux, se détachent des profils de colline terminés par le jet des hauts palmiers. Il y a dans ce ciel une tendresse, et une nostalgie à peine farouche. Nous redescendons à pied le long d'escaliers et de petites rues en pente pour tomber sur la ville elle-même. Dans la première vraie rue qui nous accueille, un temple positiviste. On rend un culte à Clotilde de Vaux[7] ici et c'est au Brésil qu'Auguste Comte se survit dans ce qu'il a laissé de plus déconcertant. Un peu plus loin une église gothique en béton armé. Le temple, lui, est grec. Mais l'argent manquant, les colonnes sont restées sans chapiteaux. Petit bistro où nous bavardons avec B.N. Homme charmant, quelquefois profond (« à force de se mettre au soleil et de se noircir la peau, il y a une innocence qui se perd »), qui vit très dignement, il me semble, le drame de l'époque. Je le quitte pour rejoindre Abdias, l'acteur noir, chez Mme Mineur d'où nous devons partir pour une *macumba*.

Une macumba, au Brésil[8]

Quand j'arrive chez Mme M., l'inquiétude règne. Le père des saints (prêtre et premier danseur) qui devait organiser la *macumba* a consulté le saint du jour qui n'a pas donné son autorisation. Abdias, l'acteur noir, pense surtout qu'il n'a pas promis assez d'argent pour forcer la bonne volonté du saint. Il est d'avis que nous tentions pourtant une expédition à Caxias, village faubourien, à 40 km de Rio et que nous cherchions au hasard une macumba. Pendant le dîner je me fais expliquer les macumbas. Ce sont des cérémonies dont le propos paraît constant : obtenir la descente du dieu en soi par le moyen de danses et de chants. Le but, c'est la transe. Ce qui distingue la macumba des autres cérémonies, c'est le mélange de la religion catholique et des rites africains. En fait de dieux ou de saints, il y a Echou, esprit du mal et dieu africain, mais aussi Ogoun qui est notre saint Georges. Il y a aussi saints Cosme et Damien, etc., etc. Le culte des saints est intégré ici dans des rites de possession. Chaque jour a son saint que l'on ne fête pas un autre jour, sauf autorisation spéciale du principal « père des saints ». Le père des saints a ses filles (et ses fils, je suppose) dont il est chargé de vérifier la transe.

Munis de ces renseignements élémentaires, nous partons. 40 km dans une sorte de brume. Il est 10 heures du soir. Caxias, qui me fait penser à un village-exposition fait de stands. Nous nous arrêtons sur la place du village où se trouvent déjà une vingtaine de voitures et beaucoup plus de monde que nous ne pensions. À peine arrêtés, un jeune mulâtre se précipite au-devant de moi et m'offre une bouteille d'aguardiente en me demandant si j'ai amené Tarrou avec moi. Il rit aux éclats, plaisante, me présente des camarades. Il est poète. On m'apprend enfin qu'on a su à Rio qu'on allait me montrer une macumba (on m'avait pourtant recommandé le secret que j'avais innocemment gardé) et beaucoup de gens ont voulu en profiter. Abdias s'enquiert, puis ne bouge plus. Nous restons là, palabrons au milieu de la place. Plus personne apparemment ne s'occupe de rien, et chacun rêve aux étoiles. Tout d'un coup : précipitation générale. Abdias me dit qu'il faut aller dans la montagne. Nous embarquons, roulons pendant quelques kilomètres sur une route défoncée et sans raison apparente nous arrêtons soudain. Attente sans que personne semble s'occuper de rien. Puis nous démarrons. La voiture soudain vire à quarante-cinq degrés et s'engage sur un sentier de montagne. Elle grimpe, peine, puis s'arrête : le raidillon est trop abrupt. Nous descendons et marchons. La colline est rase, la végétation rare, mais nous sommes en plein ciel, parmi les étoiles, semble-t-il. L'air sent la fumée. Il est si lourd qu'on a l'impression de le toucher du front. Arrivés au sommet de la colline, nous entendons des tambours et des chants assez lointains, mais qui cessent presque aussitôt. Nous marchons dans leur direction. Ni arbres, ni maisons, c'est un désert. Mais dans un creux, nous apercevons une sorte de hangar, assez vaste, sans murs, à la charpente visible. Des guirlandes de papier sont tendues à travers le hangar. J'aperçois soudain une théorie de filles noires qui montent vers nous. Elles sont habillées de robes blanches en soie grossière, la taille aux fesses. Un homme vêtu d'une sorte de casaque rouge, portant des colliers aux dents multicolores, les suit. Abdias l'arrête et me présente. L'accueil est sérieux et amical. Mais il y a une complication. Ils vont rejoindre une autre macumba à vingt minutes de marche et il faudrait que nous les suivions. Nous partons. J'ai le temps de voir, à un carrefour, une bougie allumée fichée en pleine terre, des sortes de niches où des statues de saint ou de diable (fort grossières d'ailleurs et de style Saint-Sulpice) sont rencoignées devant une chandelle et une écuelle d'eau[9]. On me montre Echou, rouge et farouche, avec un couteau dans la main. Le sentier que nous suivons serpente à travers les collines sous le ciel plein d'étoiles. Les danseurs et les danseuses nous précèdent, riant et plaisantant. Nous redescendons une colline, traversons la route par laquelle nous sommes venus et regravissons une autre colline. Des cabines de branchages et de terre glaise, remplies d'ombres chuchotantes. Puis le début de la procession s'immobilise devant un terre-plein surélevé et entouré d'une paroi de roseaux. On entend à l'intérieur tambours et chants. Quand nous sommes tous réunis, les premières femmes gravissent le terre-plein et franchissent à reculons la porte de roseaux. Puis les hommes. Nous entrons dans une cour remplie de détritus. D'une petite maison de chaume et de torchis, en face de nous, des chants s'échappent. Nous entrons. C'est une cabane fort grossière, dont les murs sont cependant crépis. La toiture est soutenue par un mât central, le sol de terre battue. Un petit appentis au fond abrite un autel surmonté d'un chromo représentant saint Georges[10]. Des chromos semblables garnissent les cloisons. Dans un coin, sur une petite estrade, ornée de feuilles de palmiers, des musiciens : deux tambours bas et un tambour long. Il y avait une quarantaine de danseurs et danseuses quand nous sommes arrivés. Nous sommes autant, et respirons donc à peine, serrés les uns contre les autres. Je me colle contre une cloison et regarde. Les danseurs et les danseuses se disposent en deux cercles concentriques, les hommes étant à l'intérieur. Les deux pères des saints (celui qui nous reçoit est habillé, comme les danseurs, d'une sorte de pyjama blanc) se font face au centre des cercles. À tour de rôle, ils chantent les premières notes d'une chanson que tous reprennent en chœur immédiatement, les cercles tournant dans le sens des aiguilles d'une montre. La danse est simple ; un piétinement sur lequel se greffe la double ondulation de la rumba. Les « pères » eux, indiquent à peine le rythme. Mon traducteur de portugais m'apprend que ces chants prient le saint d'autoriser les nouveaux venus à demeurer en ces lieux. Entre les chants, les pauses sont assez longues. Près de l'autel, une femme qui chante aussi agite une clochette de façon à peu près ininterrompue. La danse est loin d'être frénétique. De style médiocre, elle est lourde et très appuyée. Dans la chaleur qui augmente encore, les pauses sont difficilement supportables. Je remarque :

1) que les danseurs ne marquent pas la plus légère transpiration ;

2) un Blanc et deux Blanches qui dansent d'ailleurs plus mal que les autres.

À un moment, un des danseurs s'avance et me parle. Mon traducteur me dit qu'on me demande de décroiser les bras, cette attitude empêchant l'esprit de descendre parmi nous. Docile, je reste les bras ballants. Peu à peu, les pauses diminuent entre les chants et la danse s'active. On apporte une bougie allumée que l'on fiche en terre au centre, près d'un verre d'eau. Les chants invoquent saint Georges.

> « Il arrive dans la lumière de la lune
> Il part dans la lumière du soleil »

et encore :

> « Je suis le champ de bataille du dieu. »

En effet, un ou deux des danseurs présentent déjà des airs de transe, mais, si j'ose dire, de transe calme : les mains aux reins, le pas raidi, l'œil fixe et atone[11]. Le « père » rouge verse l'eau autour de la bougie en deux cercles concentriques et les danses recommencent presque sans interruption. De temps en temps, un danseur ou une danseuse quittent leur cercle pour venir danser à l'intérieur, tout près des cercles d'eau, mais sans jamais les franchir. Ceux-là précipitent leur rythme, se convulsent sur eux-mêmes et commencent à pousser des cris inarticulés. La poussière monte du sol, étouffante, épaississant l'air qui colle déjà à la peau. De plus en plus nombreux, les danseurs quittent leur cercle pour venir danser autour des pères qui dansent eux-mêmes de façon plus rapide (le père blanc, admirablement). Les tambours maintenant font rage et tout d'un coup, le père rouge se déchaîne[12]. L'œil enflammé, les quatre membres tournoyant autour du corps, il se reçoit alternativement, genou plié, sur chaque jambe et accélère son rythme jusqu'à la fin de la danse où il s'arrête, pour regarder tous les assistants d'un air fixe et terrible. À ce moment, un danseur surgit d'un coin sombre, s'agenouille et lui tend une épée dans son fourreau. Le père rouge tire l'épée et la fait tournoyer autour de lui d'un air menaçant. On lui apporte un énorme cigare. Tous, peu à peu, allument des cigares et les fument en dansant. La danse reprend. Un à un, les assistants viennent se coucher devant le père, la tête entre ses pieds. Il les frappe sur chaque épaule, en diagonale, du plat de l'épée, les relève, touche leur épaule gauche de son épaule droite et inversement ; il les pousse alors avec violence dans la ronde, mouvement qui, deux fois sur trois, déclenche la crise, différente suivant les danseurs : un gros Noir planté sur ses pieds, regardant le mât central d'un air vide, a seulement un frisson de la nuque qui se répète inlassablement. Je lui trouve l'air du boxeur *knock down*. Une Blanche épaisse, au visage animal, aboie sans arrêt, remuant la tête de droite à gauche[13]. Mais de jeunes négresses entrent dans la transe la plus affreuse, les pieds collés au sol et tout le corps parcouru de soubresauts de plus en plus violents à mesure qu'on monte vers les épaules. La tête, elle, s'agite d'avant en arrière, littéralement décapitée. Tous crient et hurlent. Puis les femmes commencent à tomber. On les relève, on leur presse le front, et elles repartent jusqu'à ce qu'elles retombent. Le sommet est atteint au moment où tous crient, avec d'étranges sons rauques qui rappellent l'aboiement. On me dit que cela continuera jusqu'à l'aube, sans changement. Il est 2 heures du matin. La chaleur, la poussière et la fumée des cigares, l'odeur humaine, rendent l'air irrespirable. Je sors, chancelant moi-même, et enfin respire avec délice l'air frais. J'aime la nuit et le ciel, plus que les dieux des hommes.

17 juillet

Travail le matin. Je déjeune avec G. et deux professeurs brésiliens. Trois professeurs en tout, mais gentils. Puis, rejoints par Lucien Febvre[14], vieil homme assez taciturne, nous partons en voiture pour parcourir les montagnes qui entourent Rio. Les jardins de Tijuca, la chapelle Meyrink, le Corcovado, la baie de Rio aperçue cent fois sous les aspects les plus différents. Et les immenses plages du Sud, au sable blanc et aux vagues émeraudes, qui s'allongent, désertes, pendant des milliers de kilomètres jusqu'en Uruguay. La forêt tropicale et ses trois étages. Le Brésil est une terre sans hommes. Tout ce qui est créé ici l'est au prix d'efforts démesurés. La nature suffoque l'homme. « L'espace suffit-il à créer la culture ? » me demande le brave professeur brésilien. C'est une question qui n'a pas de sens. Mais ces espaces sont seuls à la mesure des progrès techniques. Plus l'avion va vite, et moins la France, l'Espagne, l'Italie ont d'importance. Elles étaient nations, les voilà provinces, et demain, villages du monde. L'avenir n'est pas chez nous et nous ne pouvons rien contre ce mouvement irrésistible. L'Allemagne a perdu la guerre parce qu'elle était nation et que la guerre moderne demande les moyens des empires. Demain, il y faudra les moyens des continents. Et voilà les deux grands empires partis à la conquête de leur continent. Qu'y faire ? Le seul espoir est qu'une nouvelle culture naisse et que l'Amérique du Sud aide peut-être à tempérer la bêtise mécanique[15]. Voilà ce que je dis, mal, à mon professeur, pendant que nous laissons couler le sable entre nos mains, devant une mer sifflante.

Je rentre, ayant pris froid dans la voiture, et aussi, sous le Christ de Corcovado, attendre dans ma chambre le fidèle Abdias qui doit me mener danser la samba, après dîner. Décevante soirée. Dans un quartier très extérieur, une sorte de dancing populaire éclairé naturellement au néon. Il n'y a, à peu près, que des Noirs — mais ici cela signifie une grande variété de coloration. Surpris de voir combien ces Noirs dansent lentement, avec un rythme mouillé. Mais je pense au climat. Les forcenés de Harlem devraient se calmer ici. N'empêche que rien ne différencie ce dancing de mille autres à travers le monde, sinon la couleur de peau. À ce sujet, je remarque que j'ai à vaincre un préjugé inverse. J'aime les Noirs *a priori* et suis tenté de leur trouver les qualités qu'ils n'ont pas. Je voulais trouver beaux ceux-ci, mais j'imagine que leur peau est blanche et je trouve alors une assez jolie collection de calicots [16] et d'employés dyspeptiques. Abdias confirme. La race est laide. Cependant parmi les mulâtresses qui viennent boire aussitôt à notre table non parce qu'elle est la nôtre, mais parce qu'on y boit, une ou deux sont jolies. Je m'attendris même sur l'une qui a une extinction de voix, danse un peu avec une autre une samba molle, me bats les flancs pour réveiller des appétits en moi, et m'avise tout d'un coup que je m'ennuie. Taxi. Et je rentre.

18 juillet

Il pleut à verse sur la baie fumante et sur la ville. Matinée calme à travailler. Je vais déjeuner avec Lage, dans un restaurant sympathique donnant sur le port. À 3 heures j'ai rendez-vous avec Barleto pour visiter la banlieue ouvrière. Nous prenons un train de banlieue. *Meier. Todos os santos*[17]. *Madeidura.* Ce qui me frappe c'est le côté arabe. Magasins sans devantures. Tout est dans la rue. Vu un corbillard : un cénotaphe Empire aux énormes colonnes de bronze doré sur une camionnette de livraison peinte en noir. Aux riches, les chevaux. Étoffes violentes mises en montre. Interminables faubourgs que nous traversons dans un tramway cahotant. Vides la plupart du temps et tristes (les tribus ouvrières campant aux portes des cités [18] me rappellent B.[19]) mais se coagulant de loin en loin, autour d'un centre, d'une place, éclatant de néon, de lumières vertes et rouges (en plein jour), gorgés par cette foule multicolore, sur laquelle, quelquefois, un haut-parleur vocifère des nouvelles de football. On pense à ces foules sans cesse croissantes sur la surface du monde et qui finiront par tout recouvrir et s'étouffer. Je comprends mieux Rio ainsi, mieux qu'à Copacabana en tout cas, et son côté tache d'huile s'étendant à l'infini dans toutes les directions. Au retour, dans un *lotação*, sorte de taxi collectif, nous assistons à un des nombreux accidents produits par l'invraisemblable circulation. Un pauvre vieux nègre mal engagé dans une avenue rutilante de lumières est ramassé en pleine vitesse par un autobus qui le renvoie à dix mètres devant lui comme une balle de tennis, le contourne et fuit. Ceci à cause de la stupide loi de flagrant délit selon laquelle le chauffeur aurait été mené en prison. Il fuit donc, il n'y a plus de flagrant délit, et il ne sera pas en prison. Le vieux nègre reste là, sans que personne le relève. Mais le coup aurait tué un bœuf. J'apprends plus tard qu'on mettra un drap blanc sur lui, où le sang ira s'élargissant, des bougies allumées autour et la circulation continuera autour de lui, le contournant seulement jusqu'à ce que les autorités arrivent pour la reconstitution.

Le soir, dîner chez Robert Claverie. Rien que des Français, ce qui me repose. Quand on parle une langue étrangère, il y a, dit Huxley, quelqu'un en soi qui dit non de la main.

19 juillet

Temps magnifique. Une journaliste charmante et myope. Courrier. Déjeuner avec les Delamain, dans une sorte de buffet de gare — au néon naturellement. Repas. Méditations sombres. À la fin de l'après-midi, je me rends dans une école de théâtre. Entretien avec professeurs et élèves. Dîner chez les Chapass avec le poète national Manuel Bandeíra, petit homme extrêmement fin. Après dîner, Kaïmi, un Noir qui compose et écrit toutes les sambas que chante le pays, vient chanter sur sa guitare. Ce sont les plus tristes et les plus émouvantes des chansons. La mer et l'amour, le regret de Bahia. Peu à peu, tous chantent et l'on voit un Noir, un député, un professeur de faculté et un notaire chanter en chœur ces sambas avec une grâce très naturelle. Tout à fait séduit.

20 juillet

Matinée en canot automobile dans la baie de Rio, par un temps merveilleux. Seul un petit vent frais rebrousse un peu l'eau. Nous longeons les îles ; des petites plages (deux jumelles nommées Adam et Ève). Finalement, bain dans une eau pure et fraîche. Après-midi, visite de Murilo Mendés — poète et malade. Esprit fin et résistant. Un des deux ou trois que j'ai réellement remarqués ici. Le soir, conférence. Lorsque j'arrive, je trouve la foule embouteillant l'entrée. Claverie et la ravissante Mme Petitjean s'en vont déjà n'ayant pas pu trouver de place. J'en obtiens pour eux, non sans difficulté. Finalement, la salle prévue pour 800 personnes est surchargée d'auditeurs restés debout ou assis par terre. Les gens du monde, diplomates, etc., arrivés naturellement en retard ont le choix entre la station debout ou le vol. L'ambassadeur d'Espagne s'assoit derrière la tribune sur un praticable. Tout à l'heure, il s'instruira. Tombé sur moi, Ninu, un réfugié espagnol que j'ai connu à Paris. Il est chef de *campeones* dans une fazenda, à 100 km de Rio. Il a fait ces 100 km pour venir entendre « *su compañero* ». Il repart demain matin. Et quand on sait ce que représentent ici 100 km dans le bled… Je suis touché aux larmes. Il sort alors un paquet de cigarettes de celles qui se rapprochent le plus du « *gusto frances* », dit-il et qu'il m'offre. Je ne le quitte plus, heureux d'avoir cet ami dans cette salle et pensant que c'est pour des hommes comme lui que je vais parler. C'est ainsi que je parle en effet[20], et j'ai pour moi les hommes comme N. et, il me semble, la jeunesse qui se trouve là. Mais je doute d'avoir pour moi les gens du monde. Ensuite, c'est la ruée. Je cueille quelques regards vrais. Le reste est comédie. Coucher à minuit, devant me lever à 4 h 30 pour prendre l'avion de Recife.

21 juillet

Réveil à 4 heures. Il pleut à verse. Pour passer de la porte de l'ambassade au taxi, je suis trempé. À l'aérogare, formalités, pendant lesquelles je dors debout. Long chemin jusqu'à l'aérodrome. Dans ce climat, il arrive qu'on soit mouillé deux fois, par la pluie d'abord et par sa propre transpiration ensuite. À l'aéroport, longue attente. Finalement, on ne partira qu'à 8 h 30 et je rage une fois de plus contre l'avion. Pendant que j'attends je regarde un tableau des distances entre Rio et les capitales du monde. Paris est distant de près de 10 000 km. Deux minutes après, la radio nous joue *La vie en rose*. Avion qui décolle lourdement, chargé de pluie, sous un ciel bas. J'essaie de dormir et n'y parviens pas. Quand nous atterrissons à Recife, quatre heures et demie après, la porte de l'avion s'ouvre sur une terre rouge dévorée par la chaleur. Nous sommes de nouveau à l'équateur, il est vrai. Insomnieux, vaguement fiévreux d'une sorte de rhume pris ce matin, je chancelle sous le poids de la chaleur. Personne ne m'attend. Mais l'avion a, paraît-il, de l'avance et ce n'est pas étonnant. J'attends donc, dans une salle vide où circule un air embrasé, contemplant de loin les forêts de cocotiers qui entourent la ville. La délégation arrive. Tous gentils. Les trois Français qui sont là ont tous plus d'un mètre quatre-vingts. Nous sommes bien représentés. Nous filons. Terre rouge et cocotiers. Et puis, la mer et d'immenses plages. Hôtel sur le quai. Des mâts dépassent le parapet. J'essaie de dormir. En vain. Quatre heures. On vient me chercher. Il y a le directeur du plus vieux journal de l'Amérique du Sud, *Le journal de Pernambouc*. C'est lui qui me fait visiter la ville. Admirables églises coloniales où le blanc domine, où le style jésuite est éclairé et allégé par le crépi. L'intérieur est baroque, mais sans l'excessive lourdeur du baroque européen. La Chapelle Dorée en particulier est admirable. Les *azulejos* sont ici parfaitement conservés. Simplement, comme aussi sur les peintures, les « méchants » Judas, les soldats romains, etc., ont été défigurés par le peuple. Ils présentent tous des faces rongées et sanglantes. J'admire la ville ancienne, les petites maisons rouges, bleues et ocres, les rues pavées de larges cailloux pointus. La place de l'église San Pedro. L'église se trouvant à côté d'une usine de café est complètement noircie par les fumées des grilleurs. Elle est patinée au café, littéralement.

Dîner seul. On entend un orchestre mourant. L'exil a ses douceurs. Après dîner, conférence, devant une centaine de personnes, qui ont l'air bien fatiguées, en sortant. J'aime Recife, décidément. Florence des Tropiques, entre ses forêts de cocotiers, ses montagnes rouges, ses plages blanches.

22 juillet

Lever avec grippe et fièvre. Les jambes floconneuses. Je me prépare et attends à l'hôtel trois intellectuels qui tiennent à me voir. Deux sympathiques. Nous allons voir Olinda, petite ville historique, en face de Recife, sur la baie, aux vieilles églises. Très beau couvent de Saint-François. Au retour, je tremble de fièvre et avale aspirine et gin. Déjeuner chez le consul. Après déjeuner, promenade le long de la mer, à travers une forêt de cocotiers. À travers les trous on aperçoit sur la mer les voiles des jangadas, sortes de radeaux étroits, formés de troncs d'un bois très léger reliés par des cordes. Ce fragile assemblage tient la mer des jours et des jours, me dit-on. Paillotes disséminées. Mais dans l'air étouffant et lumineux, l'ombre des cocotiers tremble devant mes yeux. La grippe s'accroît et je demande à me reposer avant l'entretien de 5 heures. Impossible de dormir. Table ronde que je tiens grâce à deux whiskys. Ensuite, départ pour une fête populaire organisée pour moi. On me fait un vaccin contre la grippe. Des chants et des danses sans intérêt. Une macumba-chiqué. Mais le *bomba-menboi*, spectacle extraordinaire. C'est une sorte de ballet grotesque dansé par des masques et des figurestotems sur un thème qui est toujours le même : la mise à mort d'un bœuf. Sur ce thème les personnages improvisent en partie, récitent d'autre part un texte en vers, tout en dansant. Ce que je vois dure une heure. Mais on me dit que cela pourrait durer toute la nuit. Les masques sont extraordinaires. Deux clowns rouges, le « cavalier marin » à l'intérieur d'un cheval de manège, une cigogne, un matamore habillé en gaucho. Deux Indiens, et le bœuf naturellement ; le « mort portant le vif », sorte de mannequin à deux corps, animé par un seul comédien, la *cachaça* (ou l'ivrogne), le fils du cheval, poulain caracoleur, un homme à échasses, le crocodile et dominant le tout, une mort haute de trois mètres au moins qui contemple le spectacle, sa tête très haut dans le ciel de nuit. Comme orchestre un tambour et une boîte à rumbas. L'origine religieuse est évidente (quelques prières traînent encore dans le texte). Mais tout cela est noyé dans une danse endiablée, mille inventions gracieuses ou grotesques qui finissent par le meurtre du bœuf, lequel renaît peu après et fuit emportant une petite fille entre ses cornes. La conclusion : un grand cri : « Vive le señor Camus et les cent *rois* de l'Orient. » Je rentre, abruti par la grippe.

23 juillet

9 heures. Départ pour Bahia. Ma grippe va un peu mieux. Mais je suis toujours fiévreux et cour-

batu. Il fait froid dans l'avion, Dieu sait pourquoi ? Et ça remue terriblement. Trois heures de vol puis on voit apparaître, sur une grande étendue, des courtes collines couvertes de neige. C'est du moins l'impression que me donne ce sable blanc, très répandu ici, et dont les vagues immaculées semblent entourer Bahia d'un désert intact. De l'aérodrome à la ville, six kilomètres d'une route en lacet entre les bananiers et une végétation touffue. La terre est tout à fait rouge. Bahia, où l'on ne voit que des Noirs, me semble une immense casbah grouillante, misérable, sale et belle. Des marchés démesurés faits de voiles trouées et de vieilles planches, de vieilles maisons basses, crépies à la chaux rouge, vert pomme, bleue, etc.

Déjeuner sur le port. De grandes barques à voiles latines ocres et bleues déchargent les régimes de bananes. Nous mangeons des plats assez pimentés pour miraculer des paralytiques. La baie que je vois aussi de la fenêtre de mon hôtel, s'étend, ronde et pure, pleine d'un étrange silence, sous le ciel gris, tandis que les voiles immobiles qu'on y aperçoit ont l'air emprisonnées dans une mer soudain figée. Je préfère cette baie à celle de Rio, trop spectaculaire à mon goût. Celle-ci, du moins, a une mesure et une poésie. Depuis le matin, des averses se succèdent brutales et abondantes. Elles ont transformé en torrents les rues défoncées de Bahia. Et nous circulons au milieu de deux grandes lames d'eau qui recouvrent la voiture sans arrêt.

Visite d'églises. Ce sont les mêmes qu'à Recife,

bien qu'elles soient plus réputées. Église du Bon-Jésus avec les ex-voto (moulages, paire de fesses, radiographie, galons de brigadier). On étouffe. Mais ce baroque harmonieux se répète beaucoup. Finalement c'est la seule chose à voir dans ce pays et cela se voit vite. Il reste la vraie vie. Mais sur cette terre démesurée qui a la tristesse des grands espaces, la vie est à ras de terre et il faudrait des années pour s'y intégrer. Ai-je envie de passer des années au Brésil ? Non. À six heures, je prends une douche, m'endors et me réveille un peu mieux. Dîné seul. Puis conférence devant une assistance patiente. Le consul me raccompagne et me glisse, sous la table, au dernier verre, une enveloppe contenant environ 45 000 fr en monnaie brésilienne. C'est le cachet que me donne l'université de Bahia. Surprise du consul devant mon refus. Il m'explique qu'« il y en a d'autres qui le réclament, ce cachet ». Puis il s'incline. Je sais d'ailleurs qu'il ne pourra pas s'empêcher de penser : « S'il en avait besoin, il l'accepterait. » Pourtant...

Avant de terminer, je note quelques passages du règlement en français du Palace (?) Hôtel de Bahia — « Tout le monde parle français au Brésil », dit la propagande.

« Le manque de paiement des notes, comme estipulé au par. 3 et 4, obligera la gérence à effectuer la rétention du bagage en garantie du débit et par conséquent le client désoccupera immédiatement la chambre occupée.

« C'est défendu de posséder dans les chambres, des oiseaux, des chiens ou d'autres animaux.

« Au rez-de-chaussée de l'hôtel on trouve encore un bien monté Américan Bar et un ample salon de lecture. »

Et ceci pour la fin :

« Au rez-de-chaussée de l'hôtel, il y a salon de barbier et de manucure
les clients peuvent se servir de leur fonction chez eux. »

24 juillet (dimanche)

À dix heures, un charmant Brésilien, Eduardo Catalao, poli comme on ne l'est plus, m'emmène par une route défoncée à la plage d'Itapoa. C'est un village de pêcheurs en paillotes. Mais la plage est belle et sauvage, la mer mousseuse au pied des cocotiers. Cette grippe, qui n'en finit pas et me met à genoux, m'empêche de me baigner. Nous trouvons là un groupe de jeunes cinéastes français qui vivent dans une paillote pour faire un film sur Bahia. Surpris de me voir dans ce coin perdu. Ils sentent un peu Saint-Germain-des-Prés.

Déjeuner au vitriol à trois heures. De 5 à 7, je travaille. Dîner chez le consul. Puis nous allons voir un candomblé[21], nouvelle cérémonie de cette curieuse religion afro-brésilienne qui est, ici, le catholicisme des Noirs. C'est une sorte de danse exécutée devant une table chargée de mets, au son de trois tambours de plus en plus grands et d'un entonnoir aplati sur lequel on frappe avec une tige de fer. Les danses sont dirigées par une sorte de matrone qui remplace le « père des saints » et ne sont exécutées que par des femmes. Les costumes sont beaucoup plus riches qu'à Bahia. Deux des danseuses, d'ailleurs énormes, ont le visage recouvert d'un rideau de rafia. Cependant, cela ne m'apprend pas grand-chose de nouveau, jusqu'à l'entrée en scène d'un groupe de jeunes filles noires qui entrent en état demi-hypnotique, les yeux presque fermés, droites pourtant, mais se balançant sur leurs pieds, d'avant en arrière. L'une d'elles, grande et mince, me ravit. Elle porte un chapeau de chasseresse bleu, au bord relevé, aux plumes mousquetaires, une robe verte et tient dans sa main un arc vert et jaune muni de sa flèche au bout de laquelle est embroché un oiseau multicolore. Le beau visage endormi reflète une mélancolie égale et innocente. Cette Diane noire est d'une grâce infinie. Et lorsqu'elle danse, cette grâce extraordinaire ne se dément pas. Toujours endormie, elle chancelle aux arrêts de la musique. Seul, le rythme lui prête une sorte de tuteur invisible autour duquel elle enroule ses arabesques, poussant de temps en temps un étrange cri d'oiseau perçant et pourtant mélodieux. Le reste ne vaut pas grand-chose. Ces rites dégradés s'expriment dans des danses médiocres. Nous partons avec Catalao. Mais dans ce quartier lointain, pendant que nous trébuchons dans les rues trouées, à travers la nuit lourde et aromatique, le cri d'oiseau blessé me parvient encore et me rappelle ma belle endormie.

Je voudrais me coucher, mais Catalao veut boire un whisky dans une boîte de nuit, triste comme la mort, et pareille à celles qui jalonnent le monde entier. Il demande à mon insu de la musique française et, pour la deuxième fois, j'entends *La vie en rose* sous les Tropiques.

25 juillet

Réveil à 7 heures. Il faut attendre un avion qui n'est pas sûr. Puis il devient sûr. Je l'aurai à 11 heures. Ma grippe va mieux, mais j'ai les jambes en coton. Furieuse envie de rentrer. Je perds deux heures sur l'aérodrome. Nous partons. Il est 13 h 30 et n'arriverons pas avant 19 heures à Rio. J'écris tout ceci dans l'avion, où je me sens bien solitaire.

Soir. Arrivé avec un retour furieux de la grippe et fièvre. Cette fois-ci ça a l'air sérieux.

26 juillet

Au lit. Fièvre. Seul l'esprit travaille avec obstination. Affreuses pensées. Sentiment insupportable de marcher pas à pas vers une catastrophe inconnue qui détruira tout autour de moi et en moi.

Soir. On vient me chercher. J'avais oublié que la troupe noire devait me montrer ce soir un acte de *Caligula*. Le théâtre est retenu, on ne peut faire autrement. Je me couvre comme si j'allais au pôle Nord et je m'y rends en taxi.

Bizarre de voir ces Romains noirs. Et puis ce

qui me paraissait un jeu cruel et vif est devenu un roucoulis lent et tendre, vaguement sensuel. Après cela on me joue une courte pièce brésilienne que je goûte beaucoup et dont je transcris le sujet :

« Un homme, habitué des macumbas, est visité par l'esprit de l'amour. Il se jette alors sur sa femme qui en est transportée et qui devient amoureuse de cet esprit. Elle provoque donc par le même chant la venue de cet esprit aussi souvent qu'elle le peut, ce qui donne prétexte, sur scène, à des bacchanales animées. Finalement, le mari comprend qu'elle n'est pas amoureuse de lui mais du Dieu et la tue. Elle meurt heureuse cependant, car elle est persuadée d'aller rejoindre le Dieu qu'elle aime. »

La soirée se termine sur de la musique brésilienne qui me paraît quelconque. Important, cependant, que le Brésil soit le seul pays à population noire qui produise sans arrêt des airs. Le bouquet est un frevo, danse de Pernambouc, auquel participent les assistants eux-mêmes et qui est bien la contorsion la plus échevelée que j'aie vue. Charmant. À peine rentré, je m'endors comme une masse pour ne me réveiller que ce matin à 9 heures, infiniment mieux.

27 juillet

Le Brésil avec sa mince armature moderne plaquée sur cet immense continent grouillant de forces naturelles et primitives me fait penser à un building, rongé de plus en plus avant par d'invisibles termites. Un jour le building s'écroulera et tout un petit peuple grouillant, noir, rouge et jaune, se répandra sur la surface du continent, masqué et muni de lances, pour la danse de la victoire.

Déjeuner avec le poète Murilo Mendés, esprit fin et mélancolique, sa femme et un jeune poète à qui l'intelligent système de circulation de Rio a valu 17 fractures et une paire de béquilles. Après déjeuner, on m'emmène sur le Pain de sucre. Mais la matinée se passe à faire la queue pour n'arriver finalement qu'au premier piton — au grand désespoir de Mme Mendès qui craint que je ne m'ennuie alors que je me sens de bonne humeur dans leur gentille compagnie. M. connaît et cite Char et trouve que depuis Rimbaud, c'est notre poète le plus important. J'en suis content.

28 juillet

L'ambassade de Montevideo complique mon séjour en voulant modifier les dates prévues. Finalement, je resterai à Rio jusqu'à mercredi avant d'aller à Saint-Paul. Déjeuner avec Simon et Barleto pour qui s'accroît tous les jours ma sympathie. L'après-midi passée à travailler. Le soir réception à l'ambassade, d'ailleurs charmante, mais où je m'ennuie. Je file à la française comme on dit ici, et vais dormir.

29 juillet

Les journées de Rio n'ont guère de sens et filent à la fois vite et lentement. Déjeuner chez Mme B. et sa belle-sœur. Les Françaises ont du bon. Vives, spirituelles, le moment passe vite. Promenade ensuite, à pied, le long de la baie, par une merveilleuse et molle journée. Je m'arrache avec difficulté à ces moments faciles et naturels pour courir à l'ambassade retrouver Mendès et sa femme qui doivent me mener chez Corrêa, ex-éditeur, où je dois trouver aussi un étudiant qui..., etc. Ce que j'ai refusé toute ma vie avec obstination, je l'accepte ici — comme si j'avais d'avance consenti à tout dans ce voyage dont je ne voulais pas. J'en sors à temps pour rejoindre Claverie, Mme B. et sa belle-sœur que j'ai invités à dîner. Après dîner, Claverie nous promène sur des routes percées dans la montagne et dans la nuit. L'air tiède, les étoiles menues et nombreuses, la baie tout en bas... mais tout cela me rend plus mélancolique qu'heureux.

30 et 31 juillet

Week-end chez Cl. à Térésopolis. 150 km de Rio dans les montagnes. La route est belle, surtout entre Pétropolis et Térésopolis. De temps en temps, un ipé couvert de fleurs jaunes éclate à un tournant devant un horizon de montagnes qui se succèdent jusqu'à l'horizon. On comprend encore ici ce qui m'avait frappé en avion quand je survolais ce pays. D'immenses étendues vierges et solitaires auprès desquelles les villes, accrochées au littoral, ne sont que des points sans importance. À tout moment, cet énorme continent sans routes, livré tout entier à la sauvagerie naturelle, peut se retourner et recouvrir ces villes faussement luxueuses. Le week-end se passe en promenade, en bain et ping-pong. Je respire enfin dans cette campagne. Et l'air, à 800 m, me fait mieux juger du climat de Rio, vraiment fatigant. Quand nous redescendons le dimanche soir, c'est sans joie que je retrouve la ville. Je suis d'ailleurs accueilli devant l'ambassade par une de ces scènes trop fréquentes à Rio. À nouveau, une femme étendue, sanglante, devant un autobus. Et une foule qui la regarde sans lui porter secours, en silence. Cet usage barbare me révolte. Bien plus tard, j'entends le timbre d'une ambulance. Pendant tout ce temps, on a laissé mourir cette malheureuse dans les gémissements. En revanche, on fait mine d'adorer les enfants.

1er août

Réveil difficile. Vivre, c'est faire mal, aux autres, et à soi-même à travers les autres. Terre cruelle ! Comment faire pour ne toucher à rien ? Quel exil définitif trouver ?

Déjeuner à l'ambassade. J'y apprends que le Brésil ignore la peine de mort. L'après-midi, conférence sur Chamfort[22]. Je me demande toujours pourquoi j'attire les femmes du monde. Que de chapeaux ! Dîner avec Barleto, Machado, etc., dans un restaurant italien sympa. Après-midi, nous nous rendons dans une favela. Nombreuses palabres avant d'entrer dans cette vraie ville de bois, de fer-blanc et de roseaux, accrochée au flanc d'une colline au-dessus de la plage d'Ipanema. Finalement, on nous apprend que nous pouvons aller en consultation (comme lettre d'introduction nous avons, il est vrai, deux bonnes bouteilles de cachaça) auprès d'une dame des lieux. Nous entrons dans la nuit entre les cases d'où sortent des bruits de radio ou des ronflements. Le terrain est quelquefois à la verticale absolue, glissant, encombré d'immondices. Il faut un bon quart d'heure pour arriver, essoufflé, à la case de la pythonisse. Mais sur le terre-plein, devant la case, on est récompensé, la plage et la baie sous la demi-lune s'étendent devant nous, immobiles. La pythonisse a l'air de dormir. Mais elle nous ouvre. C'est une case comme j'en ai vu beaucoup avec des pagnes multicolores au plafond. Dans un coin, un lit et un dormeur. Au milieu une table avec du linge recouvert d'un rideau rouge qui fait cadavre. Une alcôve où se trouve un autel qui rassemble toutes les statues de saints que Saint-Sulpice exporte dans le monde. Aussi une statue de Peau-Rouge, égarée là, on ne sait comment. La pythonisse a l'air d'une brave femme d'intérieur. Elle vient de terminer ses consultations qu'elle ne donne que lorsque le saint est en elle. Le saint est parti. Ce sera pour la prochaine fois. Il fait chaud. Mais ces Noirs sont si gentils et avenants que nous restons à palabrer encore. Descente, vraie course à la mort. On imagine alors les femmes allant chercher l'eau deux ou trois fois par jour, le seau sur la tête à la montée. On imagine les jours de pluie. En attendant, Barleto prend un billet de parterre. J'arrive en bas, sain et sauf, et nous finissons la soirée chez Machado qui me raconte l'histoire des aides-moribonds au Minas[23]. Dans certains cas, quand l'agonie dure trop longtemps, on convoque ces messieurs qui sont patentés. Ils arrivent, habillés en ordonnateurs, saluent, retirent leurs gants et vont trouver le moribond. Ils le prient de dire « Marie-Jésus » sans discontinuer, lui placent un genou sur l'estomac et les mains sur la bouche, et poussent avec application jusqu'à ce que l'agonisant ait sauté le pas. Ils se retirent, remettent leurs gants, reçoivent cinquante cruzeiros et partent, entourés de la gratitude et de la considération générales.

2 août

Fatigué de noter des riens. (J'écris ceci dans l'avion qui m'emmène à São Paulo. Hier a été fait de riens. Même une conversation avec Mendés sur les rapports de la culture et de la violence, qui m'a aidé à préciser ce que je pensais, m'est apparue comme rien.)

Poursuivi, en réalité, dans cette glorieuse lumière de Rio par l'idée du mal que l'on fait aux autres dès l'instant où on les regarde. Faire souffrir m'a longtemps été indifférent, il faut l'avouer. C'est l'amour qui m'a éclairé là-dessus. Maintenant, je ne peux plus le supporter. Dans un sens il vaut mieux tuer que faire souffrir.

Ce qui m'est apparu clairement hier, et enfin, c'est que je désirais mourir.

3 août

São Paulo et le soir qui tombe rapidement pendant que les enseignes lumineuses s'allument une à une au sommet des gratte-ciel épais pendant que des palmiers royaux qui s'élancent entre les buildings s'élève un chant ininterrompu, venu des milliers d'oiseaux qui saluent la fin du jour, recouvrant les graves klaxons qui annoncent le retour des hommes d'affaires.

Dîner avec Oswald de Andrade, personnage remarquable (à développer). Son point de vue est que le Brésil est peuplé de primitifs et que c'est pour le mieux.

La ville de São Paulo, ville étrange, Oran démesurée.

J'oublie stupidement de noter la chose qui m'a le plus touché. C'est une émission de la radio de São Paulo où de pauvres gens viennent au micro exposer le besoin où ils se trouvent momentanément. Ce soir-là, un grand nègre pauvrement habillé, une petite fille de 5 mois dans les bras, le biberon dans la poche, est venu expliquer avec simplicité que sa femme l'ayant abandonné, il cherchait quelqu'un qui puisse s'occuper de l'enfant, sans le lui enlever. Un ex-pilote de guerre, chômeur, demandait une place de mécanicien, etc. Ensuite, dans les bureaux, nous attendons les coups de téléphone des auditeurs. Cinq minutes après la fin de l'audition, le téléphone sonne de façon ininterrompue. Tous s'offrent ou offrent quelque chose. Pendant que le Noir est à l'appareil, l'ex-pilote lui garde l'enfant et la berce. Et voici le clou : un grand nègre, plus âgé, entre dans le bureau à moitié habillé. Il dormait, et sa femme qui écoutait l'émission l'a réveillé et lui a dit : « Va chercher l'enfant. »

4 août

Conférence de presse le matin. Déjeuner debout chez Andrade. À 3 heures, on m'emmène, je ne sais trop pourquoi, au pénitencier de la ville, « le plus beau du Brésil » [24]. Il est « beau » en effet, comme un pénitencier de film américain. Sauf l'odeur, l'affreuse odeur d'homme qui traîne dans toutes les prisons. Grilles, portes de fer, grilles, portes, etc. Et de loin en loin, des écriteaux. « Sois bon » et surtout « Optimisme ». J'ai honte devant un ou deux détenus, d'ailleurs privilégiés, qui font le service de la prison. Le médecin-psychiatre me casse ensuite les pieds avec des classifications de mentalités perverses. Et quelqu'un me dit, en sortant, la formule rituelle « Vous êtes ici chez vous ».

J'oubliais. À l'aller, nous passons dans une rue de prostituées. Elles sont derrière des portes à lamelles, grandes persiennes qui les laissent apercevoir, charmantes d'ailleurs pour la plupart. On discute le prix au travers des persiennes peintes de toutes les couleurs, vertes, rouges, jaunes, bleu ciel. Ce sont des oiseaux en cage.

Puis, grimpette sur un petit gratte-ciel. São Paulo dans la nuit. Le côté conte de fées des villes modernes aux avenues et aux toits scintillants. Tout autour le café et les orchidées. Mais c'est difficile à imaginer.

Andrade m'expose ensuite sa théorie : l'anthropophagie comme vision du monde. Devant l'échec de Descartes et de la science, revenir à la fécondation primitive : le matriarcat et l'anthropophagie. Le premier évêque qui débarque à Bahia y ayant été mangé, Andrade datait sa revue de l'an 317 de la déglutition de l'évêque Sardine (car il s'appelait Sardine).

Dernière heure. Après ma conférence, Andrade m'apprend que, dans le pénitencier modèle, on a vu des détenus se suicider en se fracassant la tête contre les murs et en se prenant la gorge dans leur tiroir jusqu'à l'étouffement.

5 août, 6 août, 7 août (Le voyage d'Iguape)[25]

Nous partons pour les fêtes religieuses d'Iguape, mais à 10 heures au lieu de 7, comme prévu. Nous devons en effet rouler toute la journée dans l'intérieur, sur les routes défoncées du Brésil, et il vaut mieux arriver avant la nuit. Mais il y a eu du retard, la voiture n'était pas prête, etc. Nous sortons de São Paulo et commençons à rouler en direction du Sud. La route, de terre ou de pierre, est toujours couverte d'une poussière rouge qui recouvre toute la végétation sur un kilomètre de chaque côté de la route, d'une couche de boue sèche. Au bout de quelques kilomètres, nous-mêmes, c'est-à-dire, le chauffeur, qui ressemble à Auguste Comte, Andrade et son fils qui est chargé des philosophes, Sylvestre, l'attaché culturel français, et moi-même, sommes couverts de la même poussière. Elle s'infiltre par tous les interstices de la grosse camionnette Ford où nous sommes et nous remplit peu à peu la bouche et le nez. Là-dessus un soleil féroce qui torréfie la terre et arrête toute vie. À cinquante kilomètres, un bruit sinistre. On arrête. Un ressort avant est cassé, s'échappant très visiblement du faisceau de ressorts et venant effleurer la jante de la roue. Auguste Comte se gratte la tête et déclare qu'on fera réparer dans une vingtaine de kilomètres. Je lui conseille de retirer la lame tout de suite avant qu'elle se coince contre la roue. Mais il est optimiste. Cinq kilomètres plus loin, nous nous arrêtons, le ressort étant coincé. Auguste Comte décide de prendre un outil : c'est-à-dire qu'il retire de la malle arrière une grosse tige de fer dont il se sert comme d'un marteau et, frappant à coups redoublés sur la lame, prétend l'enlever de force.

Je lui explique qu'il y a un écrou à enlever et la roue elle-même. Mais je comprends finalement qu'il s'est embarqué pour cette longue expédition sur des pistes défoncées, sans même une clé anglaise. Nous attendons, sous un soleil à tuer un bœuf — et finalement, un camion arrive dont le chauffeur a, par bonheur, une clé anglaise. La roue enlevée, l'écrou desserré, la lame est enfin retirée. Nous repartons entre les montagnes pâles et ravinées, rencontrant parfois un zébu famélique, escortés d'autres fois par les tristes urubus[26]. À 13 heures, nous arrivons à Piédade, petit village disgracieux, où nous sommes accueillis chaleureusement par l'aubergiste Dona Anesia, à qui Andrade a dû faire la cour autrefois. Servis par une métisse indienne, Maria, qui pour finir m'offrira des fleurs artificielles. Repas brésilien qui n'en finit pas et qui passe grâce à la pinga, nom de la cachaça ici. Nous repartons, le ressort étant réparé. Nous nous élevons toujours et l'air devient très sec. Ce sont d'immenses étendues sans habitation, sans culture. La terrible solitude de cette nature démesurée explique bien des choses dans ce pays. Arrivés à Pilar à 15 heures. Mais là, Auguste Comte s'aperçoit qu'il s'est trompé. On nous explique que nous avons fait 60 kilomètres de trop. Ce qui signifie, ici, deux ou trois heures de route. Courbatus, par tant de secousses, couverts de poussière, nous repartons pour retrouver la bonne route. En fait, nous ne commençons à redescendre la Serra qu'à la fin du jour. J'ai le temps de voir les premiers kilomètres de forêt vierge, l'épaisseur de cette mer végétale, d'imaginer la solitude au milieu de ce monde inexploré, et la nuit tombe pendant que nous nous enfonçons dans la forêt. Des heures durant nous roulons, et tanguons sur une route étroite entre de hauts murs d'arbres, au milieu d'une odeur molle et sucrée. Dans l'épais de la forêt, courent de temps en temps les lucioles, mouches lumineuses, et des oiseaux aux yeux rouges viennent battre une seconde le pare-brise. À part cela, l'immobilité et le mutisme de ce monde effrayant sont absolus, bien qu'Andrade prétende parfois entendre une once[27]. La route tourne et retourne, passe par des ponts de planches brinquebalants qui franchissent de petites rivières. Puis viennent la brume et une pluie fine qui dissout la lumière de nos phares. Nous ne roulons pas, mais rampons littéralement. Il est près de 7 heures du soir, nous roulons depuis 10 heures du matin et notre fatigue est telle que nous accueillons avec fatalisme l'hypothèse présentée par Auguste Comte d'une panne d'essence. Pourtant, la forêt se raréfie un peu — et lentement, le paysage se modifie. Nous sortons enfin à l'air libre et parvenons à un petit village où nous sommes arrêtés par un grand fleuve. Signaux lumineux de l'autre côté de la rive et nous voyons arriver un grand bac, du plus vieux système qui soit, à la tringle, mené par des mulâtres en chapeau de paille[28]. Nous embarquons et le bac dérive lentement sur le rio Ribeira. Le fleuve est large et coule doucement vers la mer et la nuit. Sur les deux rives une forêt encore dense. Dans le ciel mou, des étoiles embuées. Tout le monde se tait à bord. Le silence absolu de cette heure est troublé seulement par le clapotis du fleuve le long du bac. À l'avant du bac, je regarde le fleuve descendre, l'étrangeté pourtant familière de ce décor. Des deux rives montent des cris bizarres d'oiseaux et l'appel des crapauds buffles. Il est minuit à Paris, à ce moment exact.

Débarquement. Puis nous continuons à ramper vers Registro, vraie capitale japonaise au milieu du Brésil[29], où j'ai le temps d'apercevoir des maisons à la décoration fragile et même un kimono. On nous annonce alors qu'Iguape n'est plus qu'à 60 km.

Nous repartons. Un souffle humide, une bruine incessante nous annoncent que la mer n'est pas loin. La route elle-même devient de sable — plus difficile et dangereuse encore qu'elle n'était. C'est à 12 heures que nous arrivons finalement à Iguape. En défalquant les arrêts, nous avons mis dix heures pour faire les 300 km qui nous séparent de São Paulo.

Tout est fermé à l'hôtel. Un notable rencontré dans la nuit nous mène à la maison du maire (le préfet, dit-on ici). Le maire nous avise, à travers la porte, que nous couchons à l'hôpital. En route vers l'hôpital. Malgré la fatigue, la ville me paraît belle avec ses églises coloniales, la forêt toute proche, ses maisons basses et nues et la mollesse de l'air mouillé. Andrade prétend qu'on entend la mer. Mais elle est loin. À l'hôpital « Heureux souvenir » (c'est son nom), nous sommes conduits par l'aimable notable vers un pavillon désaffecté, qui sent la peinture fraîche, à cent pas[30]. On me signale qu'en effet il a été repeint en notre honneur. Mais il n'y a pas de lumière, l'usine du pays s'arrêtant à 11 heures. À la lueur des briquets, nous apercevons cependant six lits propres et rustiques. C'est notre dortoir. Nous déposons nos valises. Et le notable veut nous faire manger un sandwich au club. Exténués, nous allons au club[31]. Le club est une sorte de bistrot au deuxième étage où nous rencontrons d'autres notables qui nous couvrent d'égards. Je note une fois de plus l'exquise politesse brésilienne, un peu cérémonieuse peut-être, mais qui vaut tout de même mieux que la muflerie européenne. Sandwich et bière. Mais un grand escogriffe qui tient mal sur ses jambes a l'idée singulière de venir me demander mon passeport. Je le lui montre et il semble me dire que je ne suis pas en règle. Fatigué, je l'envoie bouler. Les notables, indignés, tiennent une sorte de conseil, au bout duquel on me vient dire que l'on va mettre ce policier (car c'en est un) en prison et que j'ai à choisir le procès que je vais lui faire. Je supplie qu'on le laisse en liberté. On m'explique que l'honneur si grand que je fais à Iguape n'a pas été reconnu par ce mal embouché et qu'il faut sanctionner ce manque de manières. Je me récrie. Mais on tient à m'honorer de cette façon. La chose aussi bien durera jusqu'au lendemain soir où je trouve enfin la formule, demandant qu'on veuille bien me faire la faveur personnelle et exceptionnelle d'épargner cet étourdi. On se récrie sur ma chevalerie et l'on me dit qu'il en sera fait selon mon bon plaisir[32].

La nuit du drame, en tout cas, nous repartons vers l'hôpital, entourés de prévenances et nous rencontrons à mi-chemin le maire qui s'est levé et vient nous conduire lui-même à notre lit. Il a réveillé aussi le personnel de l'usine et nous avons de la lumière. On nous installe, on nous borde presque, et enfin, à 1 heure, recrus de fatigue, nous essayons en chœur de dormir. Je dis essayer car mon lit verse un peu et mes voisins se retournent souvent et Auguste Comte ronfle férocement. Je m'endors, enfin, d'un sommeil sans rêves, tard.

6 août

Réveil très tôt. Pas d'eau, malheureusement, dans cet hôpital. Je me rase à l'eau minérale et me lave un peu de la même manière. Puis les notables arrivent et nous mènent au pavillon principal nous restaurer. Enfin, nous sortons dans Iguape.

Dans le petit jardin de la Fontaine[33], mystérieux et doux avec des grappes de fleurs entre les bananiers et les pandanus, je retrouve un peu d'abandon et d'apaisement. Des métis, des mulâtres et les premiers gauchos que je vois attendent patiemment devant l'entrée d'une grotte pour obtenir des morceaux de la Pierre qui pousse. Iguape est en effet la ville du Bon Jésus dont l'effigie fut trouvée sur les flots par des pêcheurs qui la lavèrent dans cette grotte. Depuis, une pierre y pousse, inlassablement, que l'on taille en éclats, fort bénéfiques. La ville elle-même, entre la forêt et le fleuve, se serre autour de la grande église du Bon Jésus. Quelques centaines de maisons, mais de style unique, basses, crépies, multicolores. Sous la pluie fine qui détrempe les rues mal pavées, avec la foule bigarrée qui la remplit, gauchos, Japonais, Indiens, métis, notables élégants, Iguape a des airs d'estampe coloniale. On y respire une mélancolie très particulière, la mélancolie des bouts du monde. À part la route héroïque que nous avons prise, Iguape n'est reliée au reste du monde que par deux avions hebdomadaires. On peut s'y retirer.

Pendant toute la journée, la gentillesse de nos hôtes ne se dément pas. Mais nous sommes venus pour la procession. Dès le début de l'après-midi, les pétards éclatent de toutes parts faisant s'envoler les urubus pelés qui garnissent le faîte des maisons. La foule grossit. Certains de ces pèlerins sont en route depuis cinq jours sur les chemins défoncés de l'intérieur. L'un d'eux qui a l'air d'un Assyrien, orné d'une belle barbe noire, nous raconte qu'il a été sauvé par le Bon Jésus d'un naufrage, après une nuit et un jour passés sur les flots furieux et qu'il a fait vœu de porter sur sa tête une pierre de 60 kg pendant la procession[34]. Mais l'heure approche. De l'église sortent les pénitents noirs, puis blancs, recouverts de surplis, puis des anges-enfants, puis des sortes d'enfants de Marie, puis l'effigie du Bon Jésus lui-même, derrière lequel s'avance l'homme à la barbe, torse nu, portant une énorme dalle sur la tête. Vient enfin l'orchestre qui joue des « pas redoublés » et la foule des pèlerins, la seule intéressante pour finir, le reste étant assez sordide et commun. Mais la foule qui défile le long d'une rue étroite, la remplissant à craquer, est bien le rassemblement le plus étrange qu'on puisse trouver. Les âges, les races, la couleur des vêtements, les classes, les infirmités, tout est mêlé dans une masse oscillante et bariolée, étoilée parfois de cierges au-dessus desquels éclatent inlassablement des pétards, et passe aussi, de temps à autre, un avion, insolite dans ce monde sans âge. Mobilisé pour l'occasion, il gronde à intervalles réguliers au-dessus des notables élégants et du Bon Jésus. Nous allons attendre la procession à un autre point stratégique et lorsqu'elle repasse devant nous, l'homme à la barbe paraît crispé de fatigue et tremble sur ses jambes. Il arrivera cependant sans encombre. Les cloches sonnent, les magasins et les maisons qui avaient fermé portes et fenêtres sur le passage de la procession les rouvrent — et nous allons dîner.

Après dîner, des gauchinos chantent sur la place, et tout le monde fait la ronde. Les pétards continuent et un enfant se fait sauter un doigt. Il pleure et crie pendant qu'on l'emmène : « Pourquoi le Bon Jésus a-t-il fait cela ? » (On me traduit ce cri de l'âme).

Coucher tôt car nous partons tôt le lendemain. Mais les pétards et aussi les terrifiants éternuements d'Auguste Comte m'empêchent de dormir jusqu'à une heure tardive.

7 août

Même route, sauf que nous évitons la déviation de la veille et que nous traversons trois fleuves.

Vu des oiseaux-mouches. Et je regarde une fois de plus, pendant des heures, cette nature monotone et ces espaces immenses, dont on ne peut dire qu'ils sont beaux, mais qui collent à l'âme d'une insistante manière. Pays où les saisons se confondent les unes avec les autres, où la végétation inextricable en devient informe, où les sangs sont mélangés aussi à tel point que l'âme en a perdu ses limites. Un clapotis lourd, la lumière glauque des forêts, le vernis de poussière rouge qui recouvre toutes choses, la fonte du temps, la lenteur de la vie rurale, l'excitation brève et insensée des grandes villes — c'est le pays de l'indifférence et des sautes de sang. Le gratte-ciel a beau faire, il n'a pas encore vaincu l'esprit de la forêt, l'immensité, la mélancolie. Ce sont les sambas, les vraies, qui expriment le mieux ce que je veux dire.

Mais les derniers cinquante kilomètres sont les plus épuisants. Auguste Comte, prudent, se laisse dépasser. Mais chaque voiture soulève une telle quantité de poussière rouge que les phares ne peuvent plus percer ce brouillard minéral et que la voiture doit parfois s'arrêter. Nous ne savons plus où nous sommes, et je sens ma bouche et mes narines s'empâter d'une boue suffocante. J'accueille, avec soulagement, São Paulo, l'hôtel, un bain chaud.

8 août

Tous ces degrés de latitude et de longitude encore à parcourir me donnent la nausée. Journée morne et agitée (j'écris ceci dans l'avion qui me mène à Porto Alegre). À 11 heures, visite des philosophes brésiliens qui viennent me demander quelques « éclaircissements ». Déjeuner chez un jeune couple de professeurs français. Charmants. Puis visite à l'Alliance française. Promenade avec Mme P. dans les rues de São Paulo où je tombe sur une photo de moi qui me rend modeste. Cocktail chez Valeur. Dîner chez Sylvestre. Conférence. La salle est encore archipleine et meublée de gens debout. Une gentille Française m'a apporté des gauloises. Après la conférence, on me mène dans un théâtre écouter une chanteuse brésilienne. Puis champagne chez Andrade. Je rentre fourbu, fatigué de la face humaine.

9 août

Départ à Porto Alegre au milieu de l'émotion des Andrade et Sylvestre, etc. Déjeuner dans l'avion. Pour la première fois, petite crise d'étouffement. Mais on ne s'aperçoit de rien. À Porto Alegre, je débarque par un froid coupant. Quatre ou cinq Français gelés m'attendent sur l'aéroport. Ils m'annoncent que je dois faire une conférence le soir, ce qui n'était pas convenu. Vu des

Kapotes[35] — La lumière est très belle. La ville laide. Malgré ses cinq fleuves. Ces îlots de civilisation sont souvent hideux. Le soir, conférence. On refuse du monde. La presse en rajoute. Mais cela m'amuse plutôt. Mon souci est de repartir et d'en finir, d'en finir une bonne fois. On s'aperçoit que je n'ai pas mon visa pour le Chili. Il faut m'arrêter à Montevideo, télégraphier, etc.

10 août

Promenade dans la ville. À 14 h avion où j'écris ceci et ce qui précède. Terrible tristesse et sensation d'isolement. Mon courrier ne m'a pas rejoint et je m'éloigne de lui.

L'accueil des officiels français de Montevideo manque de chaleur. La date de mes conférences aurait été changée plusieurs fois. Mais je n'y suis pour rien. On a même négligé de me retenir une chambre. J'atterris, cafardeux, dans une sorte de débarras — où je me sens tout de même mieux qu'en compagnie de mes hôtes forcés. Je tarde à m'endormir, tournant en rond, et concentrant ma volonté pour ne pas fléchir intérieurement avant la fin du voyage.

Obligé de m'avouer que, pour la première fois de ma vie, je suis en pleine débâcle psychologique. Ce dur équilibre qui a résisté à tout s'est effondré malgré tous mes efforts. En moi, ce sont des eaux glauques, où passent des formes vagues, où se dilue mon énergie. C'est l'enfer, d'une certaine manière, que cette dépression. Si les gens qui m'accueillent ici sentaient l'effort que je fais pour paraître normal, ils feraient au moins l'effort d'un sourire.

11 août

Levé tôt, j'écris des lettres. Puis, toujours sans nouvelles de mes protecteurs naturels, je vais visiter Montevideo par une belle journée glacée. La pointe de la ville baigne dans les eaux jaunes du rio de la Plata. Aérée, régulière, Montevideo est entourée par un collier de plages et un boulevard maritime qui me paraissent beaux. Il y a une aisance dans cette ville qui semble plus facile à vivre que celles que j'ai vues ici. Des mimosas dans les quartiers de plaisance, des palmiers font penser à Menton. Soulagé aussi d'être dans un pays de langue espagnole. Rentré chez moi. Mes protecteurs naturels se réveillent. Je partirai le soir par le bateau du rio de la Plata pour Buenos Aires. Déjeuner chez l'attaché. Quai d'Orsay et sottises fleuries. Lui est bon garçon d'ailleurs. Le soir, le bateau quitte Montevideo. Je regarde à nouveau la lune sur les eaux limoneuses. Mais mon cœur est plus sec qu'il ne l'était sur le *Campana*.

12 août

Le matin, Buenos Aires. Énorme amas de maisons qui s'avance. W.R. m'attend. Nous discutons la question des conférences. Je maintiens ma position ajoutant que ma conférence, si je la faisais, porterait en partie sur la liberté d'expression. Comme, du reste, il émet la supposition que mon texte pourrait être demandé en lecture préalable par la censure, je l'avertis que je refuserai net. Il est donc d'avis qu'il vaut mieux ne pas aller au-devant d'un deuxième éclat[36]. Idem avec l'ambassadeur. Tour en ville — d'une laideur rare. Du monde, l'après-midi. Pour finir, j'atterris chez V.O.[37]. Grande maison agréable dans le style d'*Autant en emporte le vent*. Grand et vieux luxe. J'ai envie de m'y coucher et d'y dormir jusqu'à la fin du monde. Je m'endors en effet.

13 août

Bonne nuit. Je me réveille par un jour brumeux et froid. V. m'envoie des lettres de sa chambre. Puis les journaux. La presse péroniste a passé sous silence ou adouci mes déclarations d'hier après-midi. Déjeuner avec le directeur de la *Prensa* (opposition), tentatives policières, etc. Après-midi, quarante personnes. Au sortir de là, dîner avec V. et nous parlons jusqu'à minuit. Elle me fait entendre *Le Viol de Lucrèce* de Britten et des poèmes de Baudelaire enregistrés — admirables. Première soirée de détente réelle depuis mon départ. Je devrais rester ici jusqu'au jour de mon retour — pour éviter cette lutte continuelle qui m'épuise. Il y a une paix, provisoire, dans cette maison.

14 août

À 9 heures, pas de nouvelles de l'avion qui doit m'emmener au Chili. On téléphone à 12 heures. Journée passée à attendre chez V. le départ. Rafael Alberti est là, avec sa femme. Sympathique. Je sais qu'il est communiste. Finalement, je lui explique mon point de vue. Et il m'approuve. Mais la calomnie fera le reste et me séparera un jour de cet homme qui est et devrait rester un camarade. Que faire ? Nous sommes à l'âge de la séparation. L'avion part enfin, au coucher du soleil. Nous passons les Andes dans la nuit — et je n'en vois rien — ce qui est le symbole de ce voyage. Tout au plus, j'aperçois des arêtes neigeuses dans la nuit. Mais j'ai eu le temps de voir avant la nuit complète, l'immense et monotone pampa — qui n'en finit plus. La descente sur Santiago se fait en un éclair sous un ciel de velours. À nos pieds, une forêt d'étoiles clignotantes. Douceur caressante de ces villes étendues dans la nuit au bord des océans.

15 août

Sur le Pacifique avec Charvet et Fron. Ch. me parle de l'influence des tremblements de terre sur le comportement des Chiliens. Cinq cents secousses par an — dont plusieurs catastrophiques. Cela crée une psychologie d'instable. Le

Chilien est joueur, dépense tout ce qu'il a et fait de la politique au jour le jour.

Nous roulons : le Pacifique aux longs rouleaux blancs. Santiago resserrée entre les eaux et les Andes — Les couleurs violentes (les soucis sont couleur de minium), les pruniers et les amandiers en fleurs se détachent sur le fond blanc des cimes neigeuses — admirable pays.

Après-midi : corvée. À six heures, forum où je suis en bonne forme. Dîner chez Charvet où je suis en pleine dépression. Je bois trop, par fatigue, et me couche tard. Temps perdu.

16 août

Journée infernale. Radio, visite. Déjeuner chez le fils de Vincent Anidobre dans une petite maison au pied des Andes. Colloque avec les gens de théâtre d'ici. Conférence à 19 heures devant une salle fatigante par sa densité. Dîner à l'ambassade, emmerdant comme le déluge. Seul l'ambassadeur est drôle ; il dansait hier, ayant enlevé son veston.

17 août

Journée de troubles et d'émeutes. Hier déjà, des manifestations avaient eu lieu. Mais aujourd'hui, ça les prend comme un tremblement de terre. Le motif est une augmentation des « micros » (autobus de Santiago). On renverse les autobus et on les brûle. On brise les glaces de ceux qui passent. Dans l'après-midi, on m'annonce que l'Université, où les étudiants ont manifesté, est fermée — et que ma conférence ne peut y avoir lieu. En deux heures les services français organisent une conférence à l'Institut français. Quand j'en sors, les boutiques ont baissé leurs grilles et la troupe casquée et armée occupe littéralement la ville. Elle tire à blanc parfois. C'est l'état de siège. Dans la nuit, j'entends des coups de feu isolés.

18 août

Avion retardé jusqu'à la nuit. Les Andes sont bouchées. Je dors mal ou peu ici — et je suis fatigué. Les Charvet viennent me chercher à onze heures, et je dors debout tant ma nuit a été mauvaise. Mais leur gentillesse n'est pas pesante et nous roulons dans la campagne chilienne. Les mimosas et les saules pleureurs. Belle nature forte. À l'étape, excellent déjeuner devant un feu de cheminée. Puis, nous bifurquons vers les Andes et nous nous arrêtons pour goûter dans un hôtel de montagne, devant un beau feu, encore. Je suis bien au Chili et je pourrais y vivre un peu, dans d'autres circonstances. Au retour, nous apprenons que l'avion est renvoyé au lendemain matin. Il pleut à verse. Dîner chez les Charvet. Coucher à minuit. Je trouve à l'hôtel des présents d'adieux. Je mets longtemps à m'endormir.

19 août

À 4 h 30 la compagnie m'appelle au téléphone. Je dois être à 6 h sur le terrain. À 7 heures, l'avion s'envole. Mais, après avoir semblé chercher un passage, il descend vers le sud et emprunte un autre passage après avoir fait 200 km en plus. Les Andes, prodigieux reliefs fracassés, déchirant des montagnes de nuages — mais la neige m'éblouit. Nous tanguons et roulons sans arrêt et par surcroît, j'ai une crise d'étouffement. J'évite le pire de justesse — et fais semblant de dormir.

Nous n'arrivons à Buenos Aires qu'à midi. Le manque de sommeil m'accable à ce moment. V.O. est venue me chercher mais personne de l'ambassade et on ne m'a pas pris de billet pour Montevideo où je dois parler à 18 h 30. Grâce à V. nous nous précipitons à Buenos Aires, puis à l'aéroport d'hydravions. Il n'y a plus de place. V. téléphone à un ami. Tout s'arrange. Je pars à 5 h moins le quart par un temps bouché, jaune au-dessus des eaux jaunes. À 6 h moins le quart, Montevideo. L'ambassade a délégué quelqu'un qui m'annonce qu'on a préféré supprimer la conférence et m'emmener au lycée français. Là, le directeur me dit qu'il y a des gens qui sont tout de même venus et qu'il ne sait pas quoi faire. Je propose un débat, bien que je sois à plat. Ils acceptent et me collent pour le lendemain mes deux conférences, l'une à 11 heures, l'autre à 6 heures. Débat. Et je me couche, ivre de fatigue.

20 août

Journée mortelle. À 10 heures, journalistes et A. ; à 11 heures, première conférence, dans la salle de l'Université. Au milieu de la conférence un curieux personnage entre dans la salle. Une cape, la barbe courte, l'œil noir. Il s'installe au fond, debout, ouvre ostensiblement une revue et la lit. De temps en temps, il tousse avec fracas. Celui-là, du moins, met de la vie dans l'amphithéâtre. Un moment avec José Bergamin[38], fin, marqué, avec la figure usée de l'intellectuel espagnol. Il ne veut pas choisir entre catholicisme et communisme tant que la guerre d'Espagne ne sera pas terminée. Un hypotendu dont l'énergie n'est que spirituelle. J'aime cette sorte d'hommes.

Bergamin : ma tentation la plus profonde, c'est le suicide. Et le suicide spectaculaire. (Retourner en Espagne au risque d'être mal jugé, résister et mourir.)

Déjeuner avec de gentils couples de professeurs français. À 4 heures, conférence de presse. À 5 heures, je vois le directeur du théâtre qui va monter *Caligula*. Il veut y foutre des ballets. C'est une rage internationale. À 6 heures, Mlle Lussitch et la charmante attachée culturelle de l'Uruguay m'emmènent faire une courte promenade dans les jardins aux portes de la ville, en voiture. Le soir est doux, rapide, un peu tendre. Ce pays est facile et beau. Je me détends un peu. À 6 h 30, deuxième conférence. L'ambassadeur s'est cru obligé de venir avec sa moitié. Au premier rang, ce sont les sinistres figures de l'ennui et de la vulgarité. Après la conférence, je pars me promener avec Bergamin. Nous atterrissons dans un café populeux. Il doute de l'efficacité de ce qu'il fait. Je lui dis que le maintien sans concession d'un refus est un acte positif, dont les conséquences sont positives — Puis dîner chez Suzannah Soca. Une foule de femmes du monde qui, après le troisième whisky deviennent intenables. Quelques-unes s'offrent littéralement. Mais elles n'ont rien de flatteur. Une Française trouve le moyen de faire l'apologie de Franco devant moi. Fatigué, je fonce — et comprends qu'il vaut mieux me retirer. Je propose à l'attachée culturelle de venir boire un verre avec moi, et nous nous échappons. Ce joli visage aide à vivre du moins. La nuit est douce sur Montevideo. Un ciel pur, le froissement des palmes sèches au-dessus de la place de la Constitution, des envols de pigeons, blancs dans le ciel noir. L'heure serait facile et cette solitude où je suis, sans nouvelles depuis 18 jours, sans confiance, pourrait se détendre un peu. Mais la charmante se met à me réciter, au milieu de la place, des vers français de sa composition, les mimant de façon tragique, les bras en croix, la voix montant et descendant. Je patiente. Puis nous allons boire un verre et je la raccompagne. Je me couche et retrouve une angoisse et une mélancolie qui m'empêchent de dormir.

21 août

À 8 heures, debout. J'ai dormi 3 ou 4 heures. Mais l'avion quitte le terrain à 11 heures. Sous un ciel tendre, aéré, nuageux, Montevideo déroule ses plages — ville charmante où tout suppose le bonheur — et le bonheur sans esprit. Stupidité de ces voyages en avion — moyen de locomotion barbare et rétrograde. À 5 heures nous survolons Rio et, à la descente, je suis accueilli par cet air touffu et humide, à consistance de coton hydrophile que j'avais oublié et qui est particulier à Rio. En même temps, les perroquets criards et multicolores et un paon à la voix discordante. Tout juste capable d'aller me coucher, sans nouvelles d'ailleurs, aucun courrier ne m'attendant à l'ambassade.

22 août

On m'apporte mon courrier, il avait attendu 18 jours dans un bureau quelconque. Fatigué, je ne quitte pas ma chambre de toute la journée. Le soir, conférence, après laquelle un verre chez Mme Mineur. Coucher avec fièvre.

23 août

Lever un peu mieux. Mon départ approche. Ce sera jeudi ou samedi. Je pense à Paris comme à un couvent. Déjeuner à Copacabana devant la mer. Les vagues sont hautes et souples. Je me calme un peu à les regarder. Rentrée. Je dors un peu. À 5 heures, débat public avec les étudiants brésiliens. Est-ce la fatigue ? Je n'ai jamais eu tant de facilité. Dîner chez les Claverie avec Mme R., femme ravissante, mais sans portée, il me semble.

24 août

Je me lève un peu mieux encore. Le départ est maintenant fixé à samedi. Visites le matin et la fatigue revient. Au point que je décide de ne pas déjeuner. À 13 h 30, Pedrosa et sa femme viennent me chercher pour aller voir des peintures de fous, en banlieue, dans un hôpital de lignes modernes et de crasse ancienne. Le cœur se serre à voir des visages derrière les grands barreaux des fenêtres. Deux peintres intéressants. Les autres ont sans doute de quoi faire s'extasier nos esprits avancés à Paris. Mais, en fait, c'est la laideur. Plus frappant encore dans la sculpture, laide et vulgaire. Je suis terrorisé en reconnaissant dans un jeune médecin psychiatre de l'établissement le garçon qui, au début, m'a posé la question la plus sotte qu'on m'ait posée dans toute l'Amérique du Sud. C'est lui qui décide du sort de ces malheureux. Très atteint lui-même, du reste. Mais je suis encore plus terrorisé quand il m'annonce qu'il fera le voyage de Paris avec moi, samedi ; 36 heures enfermé avec lui, dans une cabine métallique, c'est la dernière épreuve.

Le soir, dîner chez Pedrosa avec des gens intelligents. Pluie battante à mon retour.

25 août

Grippe. Décidément, ce climat ne me réussit pas. Je travaille un peu pendant la matinée, puis vais au jardin zoologique voir le paresseux.

Mais le paresseux est en liberté et il faut le chercher dans les milliers d'arbres du parc. J'y renonce. Du moins les onces splendides — les lézards affreux et le fourmilier. Déjeuner avec Letarget à Copacabana. Rio est voilée par une pluie incessante qui remplit les trous des chaussées et des trottoirs et dissout les faux vernis dont on a essayé de la recouvrir. La ville coloniale réapparaît et je dois dire qu'elle est plus attirante ainsi avec sa boue, son piétinement, la buée de son ciel. Courses dans l'après-midi. Tout ce que je trouve dans ce pays vient d'ailleurs. Le soir à 5 heures, chez Mendès. Encore un monde fou, où je m'ennuie sans avoir la force de le cacher. Physiquement, je ne peux plus supporter une société nombreuse. Même chose à dîner où nous sommes sept, là où je croyais trouver seulement Pedrosa et Barleto, où tout le monde parle en se coupant, et à tue-tête. Ma grippe aidant, l'épreuve devient infernale. Je voudrais rentrer, mais je n'ose pas donner le signal. À 1 heure, Mme Pedrosa s'aperçoit que je ne tiens pas debout, et je vais me coucher.

26 et 27 août

Deux jours affreux où je traîne avec ma grippe dans différents coins avec différentes gens, insensible à ce que je vois, préoccupé seulement de retrouver ma force, au milieu de gens dont l'amitié ou l'hystérie n'aperçoivent rien de l'état où je suis et l'aggravent ainsi un peu plus. Soirée chez le consul où j'entends commenter la nécessité des châtiments corporels dans nos armées coloniales.

Samedi 16 heures. On m'avertit que l'avion a eu une panne de moteur et ne partira que demain, dimanche. La fièvre augmente et je commence à me demander s'il ne s'agit pas d'autre chose que d'une grippe.

31 août

Malade. Bronchite au moins. On téléphone que nous partons cet après-midi. Il fait une journée radieuse. Médecin. Pénicilline. Le voyage se termine dans un cercueil métallique entre un médecin fou et un diplomate, vers Paris.

NOTES

ÉTATS-UNIS

1. Camus fait le voyage à titre de journaliste.

2. Port d'Arabie Saoudite où siègent les missions diplomatiques étrangères.

3. On saura plus tard que les positions prises par *Combat* sont à l'origine de cette suspicion.

4. Écrivain et critique italien, ami d'Albert Camus.

5. O'Brien a traduit aux U.S.A. des œuvres de Camus.

6. Éditeur américain.

7. Éditeur américain qui sera l'éditeur principal d'Albert Camus aux U.S.A.

8. Lionel Abel, écrivain et journaliste, qui traduisit la conférence d'A. Camus à Harvard.

9. Waldo Franck, écrivain américain qui a échangé une longue correspondance avec A. Camus.

10. Peintre américain (1847-1917). Exposé au Metropolitan Museum de New York.

11. Peintre uruguayen (1861-1938). Ami de Bonnard.

12. Métro aérien.

13. Massif montagneux situé au nord de l'État de New York.

14. C'est déjà le thème de *L'Homme révolté*.

15. On retrouve ce désaccord avec l'existentialisme moderne dans *La lettre au directeur de la Nef*. (Pléiade, I, p. 445, janvier 1946).

16. On trouve des échos de cette préoccupation dans *L'État de siège*.

17. Jeune Américain qui offrit à A. Camus la libre disposition de son appartement avec la plus grande discrétion.

18. Cf. *La Mer au plus près* (Pléiade, III, p. 616-617) : « À New York, certains jours, perdu au fond de ces puits de pierre et d'acier où errent des millions d'hommes, je courais de l'un à l'autre, sans en voir la fin, épuisé, jusqu'à ce que je ne fusse plus soutenu que par la masse humaine qui cherchait son issue. »

19. *Pluies de New York (Formes et Couleurs*, 1947) (Pléiade, II, p. 690).

20. Camus donnera ce trait au père de Tarrou (Pléiade, II, p. 205).

21. Thème repris dans *Ni Victimes ni Bourreaux* (Pléiade, II, p. 436 et suiv.).

AMÉRIQUE DU SUD

1. Nom qu'Albert Camus avait donné à sa voiture.

2. Cf. *La Mer au plus près*, Pléiade, III, p. 617 : « De temps en temps, les vagues jappent contre l'étrave ; une écume amère et onctueuse, salive des dieux, coule le long du bois jusque dans l'eau où elle s'éparpille en dessins mourants et renaissants, pelage de quelque vache bleue et blanche, bête fourbue, qui dérive encore longtemps derrière notre sillage. »

3. Cf. *La Mer au plus près*, p. 619 : « Au zénith enfin, elle éclaire tout un couloir de mer, riche fleuve de lait, qui, avec le mouvement du navire, descend vers nous inépuisablement dans l'océan obscur. »

4. Cf. *La Mer au plus près*, p. 617 : « Ainsi, toute la matinée, nos voiles claquent au-dessus d'un joyeux vivier. Les eaux sont lourdes, écailleuses, couvertes de baves fraîches. »

5. Cf. *La Mer au plus près*, p. 618 : « Une heure de cuisson et l'eau pâle, grande plaque de tôle portée au blanc, grésille. Elle grésille, fume, brûle enfin. Dans un moment, elle va se retourner brusquement pour offrir au soleil sa face humide, maintenant dans les vagues et les ténèbres. »

6. Sans doute, est-ce là un souvenir de son voyage à Majorque en été 1935, mêlé au souvenir de la répression

nationaliste à Majorque, dénoncée par Bernanos dans *Les Grands Cimetières sous la lune*.

7. Fut aimée d'Auguste Comte qu'elle rencontra en 1844.

8. Cf. *La Pierre qui Pousse* dans *L'Exil et le Royaume*. La scène de la macumba est faite de trois fragments du journal.

9. Cf. *La Pierre qui Pousse*, Pléiade, IV, p. 100.

10. *Idem*, p. 89.

11. *Idem*, p. 101.

12. *Idem*, p. 101. Tout le paragraphe est largement utilisé.

13. *Idem*, p. 102. Il s'agira cette fois d'une Noire.

14. Historien français (1878-1956).

15. On voit reparaître ici l'obsession de la guerre froide qui oppose les deux blocs et d'une pensée de midi qui les équilibrerait.

16. Sens populaire : commis de magasins de tissus.

17. Baie de l'État de Bahia.

18. Citation approximative d'*Actuelles I*.

19. B. : probablement Belcourt, faubourg d'Alger.

20. Camus avait écrit : « que je parle en effet, *avec plus de netteté et de violence que je ne l'ai jamais fait*. »

21. Ce candomblé apparaît dans *La Pierre qui Pousse* où il se greffe sur la macumba, p. 103.

22. Camus avait publié en 1944 une introduction à Chamfort, cf. Pléiade, I, p. 923.

23. Le Minas Gerais, État du Brésil central.

24. On trouve une allusion à cette visite dans le *Diario de São Paulo* du 6 août 1949.

25. C'est à Iguape que se situe la nouvelle de *La Pierre qui Pousse*.

26. Petits vautours noirs, nombreux en Amérique tropicale.

27. Animal qui se rapproche du guépard et de la panthère.

28. Cf. *La Pierre qui Pousse*, p. 84.

29. Cf. *La Pierre qui Pousse*, p. 88.

30. Idem, p. 89.

31. Idem, p. 91.

32. Tout cet épisode est repris dans *La Pierre qui Pousse*, p. 91 et 99.

33. Cf. *La Pierre qui Pousse*, p. 94.

34. C'est le personnage du « coq ». La suite du texte se retrouve transposée, p. 106 et suiv.

35. Peut-être faut-il lire Kapok ?

36. Cf. plus haut, p. 96-97.

37. Victoria Ocampo.

38. Philosophe et essayiste espagnol.

DU MÊME AUTEUR

Aux Éditions Gallimard

L'ENVERS ET L'ENDROIT, *essai* (Folio Essais n° 41 ; Folioplus classiques n° 247).

NOCES, *essai* (Folio n° 16).

L'ÉTRANGER, *roman* (Folio n° 2, Folioplus classiques n° 40).

LE MYTHE DE SISYPHE, *essai* (Folio Essais n° 11).

LE MALENTENDU suivi de CALIGULA, *théâtre* (Folio n° 64 et Folio Théâtre n° 6 et n° 18 ; Folioplus classiques n° 233).

LETTRE À UN AMI ALLEMAND (Folio n° 2226).

LA PESTE, *récit* (Folio n° 42 et Folioplus classiques n° 119).

L'ÉTAT DE SIÈGE, *théâtre* (Folio Théâtre n° 52).

ACTUELLES (Folio Essais n° 305 et n° 400) :

I – Chroniques 1944-1948.

II – Chroniques 1948-1953.

III – Chroniques algériennes 1939-1958.

LES JUSTES, *théâtre* (Folio n° 477, Folio Théâtre n° 111 et Folioplus classiques n° 185).

L'HOMME RÉVOLTÉ, *essai* (Folio Essais n° 15).

L'ÉTÉ, *essai* (Folio n° 16 et Folio 2 € n° 4388).

LA CHUTE, *récit* (Folio n° 10 et Folioplus classiques n° 125).

L'EXIL ET LE ROYAUME, *nouvelles* (Folio n° 78).

JONAS OU L'ARTISTE AU TRAVAIL suivi de LA PIERRE QUI POUSSE, extraits de L'EXIL ET LE ROYAUME (Folio 2 € n° 3788).

RÉFLEXIONS SUR LA GUILLOTINE (Folioplus philosophie n° 136).

DISCOURS DE SUÈDE (Folio n° 2919).

CARNETS :

I – Mai 1935-février 1942 (Folio n° 5617).

II – Janvier 1942-mars 1951 (Folio n° 5618).

III – Mars 1951-décembre 1959 (Folio n° 5619).

JOURNAUX DE VOYAGE (Folio n° 5620).

CORRESPONDANCE AVEC JEAN GRENIER.

LA POSTÉRITÉ DU SOLEIL.

ALBERT CAMUS CONTRE LA PEINE DE MORT, écrits réunis, présentés et suivis d'un essai par Eve Morisi, préface de Robert Badinter.

CORRESPONDANCE, AVEC ROGER MARTIN DU GARD.

CORRESPONDANCE, AVEC LOUIS GUILLOUX.

CORRESPONDANCE, AVEC FRANCIS PONGE.

CORRESPONDANCE, AVEC ANDRÉ MALRAUX.

Adaptations théâtrales

LA DÉVOTION À LA CROIX de Pedro Calderón de la Barca (Folio Théâtre n° 148).

LES ESPRITS de Pierre de Larivey.

REQUIEM POUR UNE NONNE de William Faulkner.

LE CHEVALIER D'OLMEDO de Lope de Vega.

LES POSSÉDÉS de Dostoïevski (Folio Théâtre n° 123).

Cahiers Albert Camus

I – LA MORT HEUREUSE, *roman* (Folio n° 4998).

II – Paul Viallaneix : *Le premier Camus* suivi d'*Écrits de jeunesse d'Albert Camus.*

III – *Fragments d'un combat* (1938-1940) – Articles d'*Alger républicain.*

IV – CALIGULA (version de 1941), *théâtre.*

V – *Albert Camus : œuvre fermée, œuvre ouverte ?* Actes du colloque de Cerisy (juin 1982).

VI – Albert Camus éditorialiste à *L'Express* (mai 1955-février 1956).

VII – LE PREMIER HOMME (Folio n° 3320).

VIII – Camus à *Combat*, éditoriaux et articles (1944-1947) (Folio Essais n° 582).

Bibliothèque de la Pléiade

ŒUVRES COMPLÈTES (4 VOLUMES).

Dans la collection Écoutez lire

L'ÉTRANGER (1 CD).

LA PESTE (2 CD).

Dans la collection Quarto

ŒUVRES.

En collaboration avec Arthur Koestler

RÉFLEXIONS SUR LA PEINE CAPITALE, *essai* (Folio n° 3609).

À l'Avant-Scène

UN CAS INTÉRESSANT, adaptation de Dino Buzzati, *théâtre* (Folio Théâtre n° 149).

Aux Éditions Indigènes

ÉCRITS LIBERTAIRES : 1948-1960.

COLLECTION FOLIO

Dernières parutions

6163. Mark Twain	*À quoi rêvent les garçons*
6164. Anonyme	*Les Quinze Joies du mariage*
6165. Elena Ferrante	*Les jours de mon abandon*
6166. Nathacha Appanah	*En attendant demain*
6167. Antoine Bello	*Les producteurs*
6168. Szilárd Borbély	*La miséricorde des cœurs*
6169. Emmanuel Carrère	*Le Royaume*
6170. François-Henri Désérable	*Évariste*
6171. Benoît Duteurtre	*L'ordinateur du paradis*
6172. Hans Fallada	*Du bonheur d'être morphinomane*
6173. Frederika Amalia Finkelstein	*L'oubli*
6174. Fabrice Humbert	*Éden Utopie*
6175. Ludmila Oulitskaïa	*Le chapiteau vert*
6176. Alexandre Postel	*L'ascendant*
6177. Sylvain Prudhomme	*Les grands*
6178. Oscar Wilde	*Le Pêcheur et son Âme*
6179. Nathacha Appanah	*Petit éloge des fantômes*
6180. Arthur Conan Doyle	*La maison vide* précédé du *Dernier problème*
6181. Sylvain Tesson	*Le téléphérique*
6182. Léon Tolstoï	*Le cheval* suivi d'*Albert*
6183. Voisenon	*Le sultan Misapouf et la princesse Grisemine*
6184. Stefan Zweig	*Était-ce lui ?* précédé d'*Un homme qu'on n'oublie pas*
6185. Bertrand Belin	*Requin*
6186. Eleanor Catton	*Les Luminaires*
6187. Alain Finkielkraut	*La seule exactitude*

6188. Timothée de Fombelle	*Vango, I. Entre ciel et terre*
6189. Iegor Gran	*La revanche de Kevin*
6190. Angela Huth	*Mentir n'est pas trahir*
6191. Gilles Leroy	*Le monde selon Billy Boy*
6192. Kenzaburô Ôé	*Une affaire personnelle*
6193. Kenzaburô Ôé	*M/T et l'histoire des merveilles de la forêt*
6194. Arto Paasilinna	*Moi, Surunen, libérateur des peuples opprimés*
6195. Jean-Christophe Rufin	*Check-point*
6196. Jocelyne Saucier	*Les héritiers de la mine*
6197. Jack London	*Martin Eden*
6198. Alain	*Du bonheur et de l'ennui*
6199. Anonyme	*Le chemin de la vie et de la mort*
6200. Cioran	*Ébauches de vertige*
6201. Épictète	*De la liberté*
6202. Gandhi	*En guise d'autobiographie*
6203. Ugo Bienvenu	*Sukkwan Island*
6204. Moynot – Némirovski	*Suite française*
6205. Honoré de Balzac	*La Femme de trente ans*
6206. Charles Dickens	*Histoires de fantômes*
6207. Erri De Luca	*La parole contraire*
6208. Hans Magnus Enzensberger	*Essai sur les hommes de la terreur*
6209. Alain Badiou – Marcel Gauchet	*Que faire ?*
6210. Collectif	*Paris sera toujours une fête*
6211. André Malraux	*Malraux face aux jeunes*
6212. Saul Bellow	*Les aventures d'Augie March*
6213. Régis Debray	*Un candide à sa fenêtre. Dégagements II*
6214. Jean-Michel Delacomptée	*La grandeur. Saint-Simon*
6215. Sébastien de Courtois	*Sur les fleuves de Babylone, nous pleurions. Le crépuscule des chrétiens d'Orient*

6216. Alexandre Duval-Stalla	*André Malraux - Charles de Gaulle : une histoire, deux légendes*
6217. David Foenkinos	*Charlotte*, avec des gouaches de Charlotte Salomon
6218. Yannick Haenel	*Je cherche l'Italie*
6219. André Malraux	*Lettres choisies 1920-1976*
6220. François Morel	*Meuh !*
6221. Anne Wiazemsky	*Un an après*
6222. Israël Joshua Singer	*De fer et d'acier*
6223. François Garde	*La baleine dans tous ses états*
6224. Tahar Ben Jelloun	*Giacometti, la rue d'un seul*
6225. Augusto Cruz	*Londres après minuit*
6226. Philippe Le Guillou	*Les années insulaires*
6227. Bilal Tanweer	*Le monde n'a pas de fin*
6228. Madame de Sévigné	*Lettres choisies*
6229. Anne Berest	*Recherche femme parfaite*
6230. Christophe Boltanski	*La cache*
6231. Teresa Cremisi	*La Triomphante*
6232. Elena Ferrante	*Le nouveau nom. L'amie prodigieuse, II*
6233. Carole Fives	*C'est dimanche et je n'y suis pour rien*
6234. Shilpi Somaya Gowda	*Un fils en or*
6235. Joseph Kessel	*Le coup de grâce*
6236. Javier Marías	*Comme les amours*
6237. Javier Marías	*Dans le dos noir du temps*
6238. Hisham Matar	*Anatomie d'une disparition*
6239. Yasmina Reza	*Hammerklavier*
6240. Yasmina Reza	*« Art »*
6241. Anton Tchékhov	*Les méfaits du tabac* et autres pièces en un acte
6242. Marcel Proust	*Journées de lecture*
6243. Franz Kafka	*Le Verdict – À la colonie pénitentiaire*
6244. Virginia Woolf	*Nuit et jour*

6245. Joseph Conrad	*L'associé*
6246. Jules Barbey d'Aurevilly	*La Vengeance d'une femme* précédé du *Dessous de cartes d'une partie de whist*
6247. Victor Hugo	*Le Dernier Jour d'un Condamné*
6248. Victor Hugo	*Claude Gueux*
6249. Victor Hugo	*Bug-Jargal*
6250. Victor Hugo	*Mangeront-ils ?*
6251. Victor Hugo	*Les Misérables. Une anthologie*
6252. Victor Hugo	*Notre-Dame de Paris. Une anthologie*
6253. Éric Metzger	*La nuit des trente*
6254. Nathalie Azoulai	*Titus n'aimait pas Bérénice*
6255. Pierre Bergounioux	*Catherine*
6256. Pierre Bergounioux	*La bête faramineuse*
6257. Italo Calvino	*Marcovaldo*
6258. Arnaud Cathrine	*Pas exactement l'amour*
6259. Thomas Clerc	*Intérieur*
6260. Didier Daeninckx	*Caché dans la maison des fous*
6261. Stefan Hertmans	*Guerre et Térébenthine*
6262. Alain Jaubert	*Palettes*
6263. Jean-Paul Kauffmann	*Outre-Terre*
6264. Jérôme Leroy	*Jugan*
6265. Michèle Lesbre	*Chemins*
6266. Raduan Nassar	*Un verre de colère*
6267. Jón Kalman Stefánsson	*D'ailleurs, les poissons n'ont pas de pieds*
6268. Voltaire	*Lettres choisies*
6269. Saint Augustin	*La Création du monde et le Temps*
6270. Machiavel	*Ceux qui désirent acquérir la grâce d'un prince...*
6271. Ovide	*Les remèdes à l'amour* suivi de *Les Produits de beauté pour le visage de la femme*

6272. Bossuet	*Sur la brièveté de la vie* et autres sermons
6273. Jessie Burton	*Miniaturiste*
6274. Albert Camus – René Char	*Correspondance 1946-1959*
6275. Erri De Luca	*Histoire d'Irène*
6276. Marc Dugain	*Ultime partie. Trilogie de L'emprise, III*
6277. Joël Egloff	*J'enquête*
6278. Nicolas Fargues	*Au pays du p'tit*
6279. László Krasznahorkai	*Tango de Satan*
6280. Tidiane N'Diaye	*Le génocide voilé*
6281. Boualem Sansal	*2084. La fin du monde*
6282. Philippe Sollers	*L'École du Mystère*
6283. Isabelle Sorente	*La faille*
6284. George Sand	*Pourquoi les femmes à l'Académie ?* Et autres textes
6285. Jules Michelet	*Jeanne d'Arc*
6286. Collectif	*Les écrivains engagent le débat. De Mirabeau à Malraux, 12 discours d'hommes de lettres à l'Assemblée nationale*
6287. Alexandre Dumas	*Le Capitaine Paul*
6288. Khalil Gibran	*Le Prophète*
6289. François Beaune	*La lune dans le puits*
6290. Yves Bichet	*L'été contraire*
6291. Milena Busquets	*Ça aussi, ça passera*
6292. Pascale Dewambrechies	*L'effacement*
6293. Philippe Djian	*Dispersez-vous, ralliez-vous !*
6294. Louisiane C. Dor	*Les méduses ont-elles sommeil ?*
6295. Pascale Gautier	*La clef sous la porte*
6296. Laïa Jufresa	*Umami*
6297. Héléna Marienské	*Les ennemis de la vie ordinaire*
6298. Carole Martinez	*La Terre qui penche*
6299. Ian McEwan	*L'intérêt de l'enfant*
6300. Edith Wharton	*La France en automobile*
6301. Élodie Bernard	*Le vol du paon mène à Lhassa*

Composition Nord Compo
Impression Novoprint
à Barcelone, le 2 août 2017
Dépôt légal : août 2017
1er dépôt légal dans la collection : janvier 2013

ISBN 978-2-07-045316-0./ Imprimé en Espagne.